D1028736

Mon Europe,
je t'aime moi non plus

1989-2019

DU MÊME AUTEUR

Les rescapés, éditions Philippe Rey, 2005
Homère et Shakespeare en banlieue, avec Augustin d'Humières,
   Grasset, 2009
FOG, Don Juan du pouvoir, Flammarion, 2015
La dangereuse, avec Loubna Abidar, Stock, 2016
Angela Merkel, l'ovni politique, Les Arènes/Le Monde, 2017,
   Prix Simone Veil-mairie du 8e

Marion Van Renterghem

Mon Europe,
je t'aime moi non plus

1989-2019

Stock

Ouvrage publié sous la direction de Laure Adler

Le titre de ce livre s'inspire de la chanson :
Je t'aime moi non plus, paroles et musique de Serge Gainsbourg,
© Melody Nelson Publishing
Comme un boomerang, paroles et musique de Serge Gainsbourg,
© 2002, Melody Nelson Publishing
Couverture : Corinne App
Illustration de couverture : © Maia Flore / VU'

ISBN : 978-2-234-08741-5

Pour Noémie, dix-sept ans et prête à changer le monde.

Je sens des boums et des bangs
Agiter mon cœur blessé
L'amour comme un boomerang
Me revient des jours passés
C'est une histoire de dingue
Une histoire bête à pleurer

Serge Gainsbourg
(chanté par Daho & Dani)

Ainsi commence le fascisme. Il ne dit jamais son nom,
il rampe, il flotte, quand il montre le bout de son
nez, on dit : C'est lui ? Vous croyez ? Il ne faut rien
exagérer ! Et puis un jour on le prend dans la gueule
et il est trop tard pour l'expulser.

Françoise Giroud

As the present now
Will later be past
The order is
Rapidly fadin'.
And the first one now
Will later be last
For the times they are a-changin'.

Puisque le présent de maintenant
Sera demain le passé
L'ordre des choses
Disparaît si vite
Et le premier d'aujourd'hui
Sera demain le dernier
Car les temps sont en train de changer

Bob Dylan

1

Qu'avons-nous fait de nos trente ans?

Il y a trente ans, le monde changeait.

Il y a trente ans, je n'avais pas trente ans, le mur de Berlin tombait et on croyait à la fin de l'histoire.

Il y a trente ans, nous achevions le XXe siècle, nous basculions vers l'inconnu. Le dernier des deux grands totalitarismes était vaincu, la colonisation était terminée, les empires avaient lâché leurs prises de guerre. L'Europe, coupée en deux après Yalta, se réunifiait. Francis Fukuyama voyait dans la fin de la guerre froide la victoire définitive d'un horizon indépassable, un idéal réalisé, la fin des fins : la démocratie libérale. Samuel Huntington lui répliquait par ses propres prédictions : non, ce n'était pas fini, des résurgences identitaires naîtraient de la disparation du bloc soviétique et elles supplanteraient le paradis démocratique. Leur bataille de futuristes me passait au-dessus de la tête. La chute du mur de Berlin m'exaltait.

Il y a trente ans, en 1989, j'avais vingt-quatre ans et j'étais pleine d'espoir. J'en avais enfin fini avec mon adolescence. Un étudiant tout seul arrêtait un char sur la place Tiananmen, Solidarnosc gagnait son combat contre le communisme en Pologne, le rideau de fer entre l'Autriche et la République populaire de Hongrie craquait, l'Union soviétique explosait, Ceausescu mourait, Vaclav Havel devenait président, les Baltes formaient une chaîne humaine entre Vilnius, Riga et Tallinn. François Mitterrand et Helmut Kohl s'étaient eux aussi tenus par la main cinq ans plus tôt, devant les morts de Verdun et leurs guerres anciennes. Sur leurs lèvres on pouvait lire Apollinaire : « À la fin tu es las de ce monde ancien. » On allait vers le nouveau. Tout se dérangeait. C'était excitant, c'était beau.

Il y a trente ans, l'Europe presque entière allait bientôt voir la vie en rose. La social-démocratie avait le vent en poupe et se propageait. Jacques Delors présidait la Commission européenne. François Mitterrand régnait pour la deuxième fois à la tête d'une cohabitation. Bill Clinton apportait un vent nouveau de l'Atlantique. L'Espagne avait liquidé le franquisme et Felipe Gonzalez remportait les élections. Les deux conservateurs les plus tenaces s'accrochaient encore un peu : Margaret Thatcher, « la bouche de Marilyn et le regard de Caligula» selon la définition de Mitterrand, cédait sa place à John Major au bout de onze ans et trois mandats de fer. Son concurrent en longévité, Helmut Kohl, cinq fois élu et seize ans au pouvoir, accomplissait la réunification de l'Allemagne. Tony Blair et Gerhard Schröder se préparaient. Leur Troisième Voie sociale-libérale, conçue pour adapter le socialisme à la mondialisation, promettait d'être l'apothéose parfaite de la fin de l'histoire, le vrai *happy end* de Fukuyama. Elle couvait d'autres déchirures, nouvelles, profondes.

Il y a trente ans, le clivage gauche-droite commençait à perdre ses marques en faveur d'un autre que l'on découvrait, entre Européens et souverainistes. Je me souviens de ce petit mouvement né à la fin des années 1990, où des réactionnaires de gauche et de droite, des franges du Parti communiste à celles de l'ancien RPR, se trouvaient – déjà – des points communs. Ils se nommaient «Républicains nationaux» ou «Républicains des deux rives», se voulaient dissidents de la pensée unique, revendiquaient la transcendance de la gauche et de la droite, se retrouvaient dans la nostalgie de Marx pour la critique du capitalisme et de De Gaulle pour la grandeur républicaine. Ils avaient créé des vocables qui auront la vie longue : «L'Europe de Maastricht», «L'Europe des banquiers». Ils militaient contre la naissance de l'euro consignée à Maastricht et ils communiaient dans la dénonciation de l'emprise des élites sur le peuple, de l'économique

sur la volonté politique, du mondialisme sur la souveraineté nationale. Ils préparaient sans le savoir la
confusion de l'extrême gauche et de l'extrême droite
dans une même nébuleuse qui culminerait dans leur
« non » commun au référendum de 2005 sur le traité
constitutionnel européen. C'était le début du socle
commun entre le socialisme nationaliste de gauche
et le nationalisme populiste de droite, alliés involon-
taires dans la détestation de l'Union européenne, la
vénération de Poutine, la-haine-des-élites-des-médias-
des-élus, l'invention du « Peuple » comme un énorme
individu opposé à la démocratie, la revendication du
référendum comme panacée électorale. En ce début
des années 1990, les murs chutaient, les sociétés s'ou-
vraient, on se déchirait sur le traité de Maastricht.

Il y a trente ans, Internet arrivait. WWW, la toile
d'araignée mondiale aux initiales d'agent secret, tis-
sait ses premiers fils en 1989. Personne n'en saisissait
encore l'enjeu. On n'avait toujours pas compris de
quoi il s'agissait dix ans plus tard, quand David Bowie
décrivait de manière foudroyante ce qui allait nous
tomber dessus. C'était à la BBC en 1999, bien avant
l'explosion de la bulle Internet. « Mais ce n'est qu'un
outil, non ? », hasardait le journaliste incrédule. « Oh
non ! » s'esclaffait tranquillement le rocker futuriste,
derrière des lunettes rondes teintées. Il n'y avait que
ce messager humain à l'intelligence extraterrestre,
le créateur de *Life on Mars* et de *Space Odyssey*, pour y
voir une telle évidence : « Ce qu'Internet va changer

dans la société, en bien et en mal, est inimaginable, affirmait-il dans cette interview visionnaire. On n'a même pas vu un bout de l'iceberg. On est à l'orée de quelque chose d'exaltant et de terrifiant. La nature des contenus ne ressemblera à rien de ce qu'on peut envisager maintenant. L'interaction entre l'auteur et l'utilisateur sera totale, en sympathie. Ça va pulvériser nos idées sur les médias. Est-ce qu'il y a une vie sur Mars? Oui, elle vient tout juste d'atterrir!» *Major Tom to Ground control.* Voilà trente ans que le compte à rebours a commencé.

Il y a trente ans, l'Est arrivait. J'écrivais pour le supplément littéraire du *Monde* et je découvrais ce monde d'hier que Stefan Zweig avait vu basculer, cette moitié d'Europe condamnée à la double peine du nazisme et du communisme, cette planète totalitaire qu'on avait laissée tomber et dont les dissidents étaient soit ignorés soit gênants, eux qui faisaient dérailler la logique de pensée de la gauche intellectuelle. Le soviétique-ukrainien-juif Vassili Grossman, mais aussi Milan Kundera, Gustaw Herling, Ismaïl Kadaré, Ivo Andric, tant d'autres.

Il y a trente ans, en 1989, nous fêtions le bicentenaire de la Révolution française et Rostropovitch, seul sur une chaise à Check Point Charlie, jouait une suite pour violoncelle de Bach devant le mur de Berlin qui s'effritait sous les coups de pioche. L'Est arrivait, l'Ouest se réjouissait, l'Ouest s'inquiétait. La Serbie s'attribuait le Kosovo, la Yougoslavie se disloquait, de vieilles haines rances explosaient. À la fin des Trente Glorieuses, ces trois décennies de croissance de l'après-guerre, s'ajoutait le début d'une Union européenne élargie, légitime mais si grande que nous ne la reconnaissions plus. L'intégration de dix nouveaux États membres se décidait. Les entreprises se délocaliseraient à l'est, les travailleurs afflueraient à l'ouest. Le plombier polonais ferait son apparition comme métaphore du néolibéralisme, provoquant la fureur à gauche parce qu'il cassait les salaires, et à droite parce qu'il cassait les frontières. Le traité constitutionnel européen allait se fracasser et couper la France en deux. Les peurs et les fantasmes commençaient. Les sociétés se divisaient.

Trente ans après, les États-Unis ne sont plus entièrement unis à l'Europe et l'Europe ne l'est plus à elle-même. Le monde de l'après-guerre froide n'est plus coupé en deux mais en plusieurs. Les fissures apparaissent de toutes parts, entre l'Ouest et l'Est, entre le Nord et le Sud. Entre les États membres fondateurs de l'UE et les derniers arrivés, entre les vieilles démocraties libérales et celles que Moscou avait inféodées, entre les protestants du Nord et les catholico-orthodoxes du Sud, entre les créditeurs et les débiteurs, entre les disciplinés et les endettés, entre les réformés et les révoltés. La France bascule dans le groupe du Sud.

Trente ans après, le monde n'est plus coupé en deux mais les pays eux-mêmes le sont. Il y a deux États-Unis, deux Pologne, deux Hongrie, deux Allemagne, deux Républiques tchèques, deux Grande-Bretagne, deux France. Il y a les bienheureux du monde global et ceux qui n'ont pas pu suivre. Il y a les gens des villes contre ceux des ronds-points, les mondialisés des capitales contre les enracinés de la périphérie, les «N'importe où» contre les «Quelque part» – les «Anywhere» et les «Somewhere» de l'essayiste David Goodhart. Londres est une planète à part, avec sa City, son maire musulman libéral et ses habitués de l'Eurostar. Prague vote en masse à l'élection présidentielle pour un proeuropéen libéral que rejette tout le pays. Les bobos cosmopolites de Paris découvrent, hébétés, la souffrance et le ressentiment de la province en gilet jaune. Le Brexit est l'événement qui solde ces trente ans. Le premier signe électoral d'une société qui explose. La première manifestation d'une stratégie populiste. Le premier usage des fake news dans une campagne électorale. La première déchirure de l'Europe. Le premier désastre démocratique du XXIe siècle.

Trente ans après, un élément nouveau est apparu en Europe : l'insécurité culturelle. Le mot «migrants» traverse les langues et les frontières comme la bête du Gévaudan, effrayant plus encore ceux qui ne l'ont jamais vue. La crise migratoire de 2015, provoquée par la guerre en Syrie, a radicalisé cette bête aux multiples visages, «l'immigration», qui empoisonne la politique, engraisse les populistes, déchire la droite et la gauche, fracture les sociétés. L'histoire de l'Europe retiendra cette année 2015 où le seul pays à même d'accueillir et d'intégrer des centaines de milliers de réfugiés en détresse a vu sa dirigeante conspuée pour excès d'humanisme au sein d'une Union européenne pourtant si prompte à clamer ses «valeurs» : à droite parce qu'elle aurait été irresponsable, à gauche parce qu'elle aurait été calculatrice, cassant pour son profit les salaires et les avantages acquis. Qu'aurait-on dit d'Angela Merkel si elle avait envoyé l'armée pour fermer les frontières de l'Allemagne au million de migrants qui fuyaient la barbarie et arpentaient déjà le continent, de la Grèce à l'Autriche ?

Trente ans après, quelque chose se passe qui ressemble à une marche arrière vers la case départ, à un mauvais retour de manivelle, peut-être à une révolution. Les clameurs nationales recouvrent les discours d'ouverture, les pays se replient sur eux-mêmes, les grands partis politiques s'émiettent, les institutions vacillent, les vieilles démocraties sont rongées de l'intérieur. Les égoïsmes font perdre la tête, l'Europe menace de se désagréger. Les Américains se détournent d'une UE que la Russie veut détruire et que la Chine tente de racheter. Un peu partout sur le continent, on entend le bruit et la fureur, la peur, la haine, le repli, l'exclusion. Huntington a eu raison sur Fukuyama : le système libéral n'était pas la fin de l'histoire, des populismes de tous genres sont en train de naître de ses cendres. «Cette pestilence des pestilences, le nationalisme»: l'Europe de 2019 n'est pas loin de celle de 1939, de «la défaite de la raison» que Stefan Zweig analysait une dernière fois avant son suicide, dans son exil brésilien. Déguisée en gilet jaune, mais presque partout de couleur rouge-brune.

Trente ans après, le monde bascule de nouveau et on peine à le définir. L'Occident s'affole et s'agite, nourri par la peur et le ressentiment. Il me fait penser à la Bosnie d'Ivo Andric avec ses catholiques, ses orthodoxes, ses musulmans, ses juifs, cette mosaïque de communautés et de religions cohabitant harmonieusement, en état de tolérance provisoire, jusqu'à l'événement quelconque qui ranime d'un coup, le plus bêtement du monde, de très vieux ressentiments. Dans une nouvelle d'Andric, le patron juif d'un bistrot bien nommé Titanic pose cette question ingénue: «Qu'est-ce qui se passe?» Notre Europe en est là, à cette question, à cette stupeur.

Qu'avons-nous fait de nos trente ans?

2

De Viktor à Orbán

Mon ancien patron est devenu le ministre de la Justice de Viktor Orbán.

Il y a un peu moins de trente ans, une succession de hasards m'avait conduite à poser mes bagages à Budapest et à frapper à la porte d'un cabinet d'avocats, Nagy és Trócsányi. Savoir le prononcer comme il faut, «Nodj éch Trautchaanyi», était une première étape dans l'initiation à ce petit pays du milieu, sans mer et sans horizons, où j'avais décidé sur un coup de tête de passer une année. Un grand blond rondelet et enthousiaste m'a servi un café turc. Il avait appris le français en Belgique, était très bavard et avec une chaleur pas toujours partagée par les quelques Hongrois que j'avais déjà rencontrés, et il m'a aussitôt proposé du travail. C'était László Trócsányi, l'un des deux avocats associés du cabinet. En quelques minutes, j'étais engagée pour un an, et à mille lieues d'imaginer ce que László allait devenir un jour. Ni lui ni ce jeune Viktor dont parlait souvent ma bande d'amis de l'époque, avec pas mal d'admiration.

C'était le début des années 1990. La Hongrie renaissait à la vie et s'ouvrait au monde. Je m'étais mêlée à une foule en larmes pour suivre dans les rues le cercueil du conservateur József Antall, le premier chef du gouvernement de l'après-communisme, dont la mort ouvrait la voie à une vraie vie politique, plus jeune et agitée. Des tas d'investisseurs étrangers se précipitaient sur ce nouveau marché balbutiant. Ma mission chez Nagy és Trócsányi consistait à relire et à réécrire les contrats en français. Des projets de toutes sortes défilaient dans le bureau, des plus sérieux aux plus fous. Je me souviens de l'un d'eux, un gigantesque pont de plusieurs étages sur le Danube, pour abriter un hôtel. Une horreur. Nulle part le Danube n'est plus beau qu'à Budapest et j'ai dit à László qu'il n'était pas question que je participe à ce massacre. Il n'avait pas trop insisté et était reparti avec ses plans sous le bras. La première fois que je suis retournée en Hongrie, des années plus tard, j'ai fait l'inventaire des multiples changements dans la capitale. Le Danube avait au moins échappé à cette idée barbare. Mais, du côté du Parlement, le bâtiment au bord du fleuve copié sur le palais londonien de Westminster, c'était plus remuant.

En ce début des années 1990, le Tilos était le centre du monde. «Le Tiloche». C'était un café qui portait ce nom d'«interdit» en souvenir des lieux alternatifs de Budapest où se retrouvaient les opposants à la dictature, car c'était le lieu incontournable des anciens de la culture underground comme de la jeunesse branchée qui en avait hérité. Son nom complet était le Tilos az Á, pour une de ces raisons farfelues et loufoques dont raffolaient les dissidents : dans la traduction hongroise de *Winnie The Pooh*, le célèbre livre pour enfants, il y a un bout d'écriteau dans la forêt avec marqué dessus « Tilos az Á ». Le « Á » est interdit, mais on ne saura jamais ce qui est interdit car l'écriteau est cassé et laisse invisible la suite du mot. C'est aussi dans ce café qu'est née la Tilos Rádio, une radio alors pirate qui paraît-il existe toujours sur le Net. Il semble si loin, ce temps, plus loin encore que celui d'avant Internet et les portables : à Budapest, la plupart des appartements n'étaient pas équipés du téléphone et j'habitais un quartier assez éloigné des stations de métro ou de tramway. On ne pouvait pas se joindre à l'improviste. On lisait. On allait au Tilos le soir quand il n'y avait rien à faire d'autre, ce qui était à peu près toujours le cas. C'était le rez-de-chaussée d'un immeuble de briques dans le quartier de la Grande Synagogue, qui n'était pas branché comme il l'est devenu aujourd'hui. À l'entrée, les videurs étaient des gros bras qui étudiaient pendant la journée dans une école bouddhiste privée. Tout de suite à droite, il y avait des toilettes immondes et, derrière, une salle avec une mezzanine, une peinture murale au fond, un long bar et des tables. Tout était assez poisseux et les murs étaient d'un jaune sale. Au sous-sol se produisaient plein de groupes de rock, de rap, de R&B. L'un d'eux était déjà très connu en France et l'une des filles de notre bande était tombée amoureuse de son chanteur. Elle allait bientôt le rejoindre en France. C'était la grande affaire, au Tilos. Elle s'appelait Krisztina Rady, lui, Bertrand Cantat, et le groupe, Noir Désir. Elle était ravissante, intelligente, solaire. À Budapest, le Tilos n'existe plus, mais la génération qui le fréquentait n'oubliera jamais le sourire de Krisztina.

La transition battait son plein, ces années-là. On continuait à débaptiser les rues qui portaient les noms des potentats du marxisme-léninisme. On était à court d'idées pour les remplacer, tant ces noms-là avaient envahi les villes. On avait déboulonné les statues staliniennes, on ne savait pas quoi en faire. À l'époque, ils les avaient toutes parquées dans une sorte de zoo, enfermées derrière des grillages. Il y avait un hebdomadaire politique et culturel que les libéraux anticommunistes adoraient et qui portait le nom bizarre de *Magyar Narancs* – l'orange hongroise. Le titre était tiré d'une scène d'un film culte de 1969, *Le Témoin*, de Péter Bacsó, qui parodiait les oukases de l'URSS et la répartition dogmatique des tâches dans l'Empire, obligeant la Hongrie à produire des oranges. Le pays n'est pas doué pour l'affaire et quand le potentat vient faire son inspection, c'est un malheureux citron qui pend sur l'oranger. L'inspecteur zélé goûte, grimace et déclare fièrement: «Elles sont un peu trop acides, un peu trop jaunes, mais ce sont nos oranges hongroises.»

À la cantine du cabinet Nagy és Trócsányi, je découvrais plutôt les ratatouilles hongroises et les gâteaux au pavot. La cantine était un grand moment de la journée que je commençais à l'aube aux bains Gellért, entre femmes, à lire le journal assise dans la piscine chaude et sonore, sous une coupole Art déco inspirée du style ottoman. J'entends encore résonner les claquettes en plastique sur le carrelage mouillé. À la fin du mois, László Trócsányi ouvrait une boîte en métal d'où il sortait nos payes, des enveloppes de billets de forints vers lesquelles on accourait comme des poussins. On rigolait bien avec László. Il n'était pas du genre très «underground», il était plutôt conservateur et ne fréquentait pas le Tilos, mais il me laissait partir de temps en temps en reportage pour *Le Monde* dans les pays avoisinants d'Europe centrale, de Prague à la Transylvanie, à condition que je lui raconte mes voyages. Il m'avait invitée à son mariage, dans une église protestante pas loin du Parlement. Il n'avait pas encore adopté ses trois enfants.

László Trócsányi est devenu le ministre de la Justice de Viktor Orbán et s'apprête à être commissaire européen. Il est au cœur du dispositif judiciaire d'un gouvernement hongrois qui attise les peurs et les passions par démagogie populiste, au cœur d'un système que nous accusons, nous, les vieilles démocraties européennes, de verrouiller l'opposition et de fissurer insidieusement l'État de droit. Il me donnera ses raisons plus tard, comme on verra.

En ce début des années 1990, Viktor Orbán était mon héros. Je n'étais pas la seule. Nous, les filles, nous étions toutes amoureuses de lui. Il avait les cheveux longs, un air de crooner romantique et surtout il incarnait cette jeunesse téméraire née sous la dictature, qui prenait d'assaut les vieux croûtons totalitaristes pour construire un nouveau monde. Lui-même venait de la campagne, il faisait partie d'un groupe d'étudiants de la fac de droit de Budapest avant d'obtenir une bourse de la fondation Soros pour une année d'étude à Oxford. Il avait participé à la fondation d'un petit mouvement d'opposition appelé Alliance des jeunes démocrates (Fiatal Demokraták Szövetsége), plus connu par son acronyme : le Fidesz. La couleur orange deviendrait leur totem, à l'image de l'orange hongroise de *Magyar Narancs* qui les accompagnera comme un bulletin officiel. Ils étaient jeunes, libertaires, radicaux dans leur libéralisme et désireux d'une rupture totale avec leur relation au passé hongrois. Et le 16 juin 1989, Viktor Orbán est devenu la coqueluche des jeunes et des moins jeunes libéraux libertaires.

Ce 16 juin, sur la place des Héros de Budapest, il est monté sur la tribune. Il avait vingt-cinq ans et il fallait du culot. Devant lui se tenait une foule de 250 000 personnes, des militaires soviétiques, des potentats de la puissance occupante et leurs serviteurs locaux. Le régime qui battait de l'aile avait été contraint d'organiser une cérémonie de « réenterrement » des martyrs de la révolution hongroise de 1956 dont Imre Nagy. Viktor avait interpellé le pouvoir ennemi sans trembler, face à lui. « Le Parti socialiste ouvrier hongrois nous a privés de notre avenir à nous, les jeunes d'aujourd'hui», lançait-il avant de désigner le cercueil vide représentant les martyrs inconnus de 1956 : «Dans ce cercueil ne repose pas seulement un jeune assassiné, mais vingt, ou qui sait combien, de nos années suivantes.» Viktor Orbán était le premier à oser dénoncer publiquement l'occupation de la Hongrie par l'URSS, à demander devant une foule gigantesque le départ des troupes soviétiques déployées dans le pays et à réclamer la tenue d'élections libres. Ce jour-là, tout le monde l'avait compris, un futur dirigeant était né.

J'ai relaté à Viktor Orbán ce souvenir grisant, un jour de l'automne 2006 où je suis allée l'interviewer chez lui. De m'entendre dire qu'il avait émoustillé le cœur de greluches comme moi ne l'a pas ému le moins du monde. Visiblement, il connaissait la chanson et ne semblait pas trop mécontent de sa personne. Il m'avait reçue dans sa maison avec jardin des collines de Buda, en jeans, souriant, blagueur, ouvert, le contraire du tribun brutal qui à l'époque haranguait les foules dans la rue pour déverser son venin sur le gouvernement en place. J'étais frappée par le contraste entre son visage tout en tensions et sa manière d'être détendue et sympathique en tête à tête. C'est dans ces années-là que Viktor Orbán préparait sa mutation. Marié et déjà père de cinq enfants, il était dans l'entre-deux, méditait son échec et mijotait sa revanche. Il était redevenu député de l'opposition après un premier mandat de Premier ministre. Viktor Orbán, à l'époque, adoptait une méthode politique étrange qui sonnait mal avec ses déclarations républicaines : cette manie de bouder le Parlement et de lui préférer la rue. La société civile, il la connaissait bien, lui qui lui avait consacré son diplôme de droit et l'avait étudiée de près à travers le mouvement polonais Solidarnosc. Il était violent et inquiétant en hongrois, une langue que personne d'autre ne comprenait. En anglais, il était si spirituel, si intelligent, si policé. Les Occidentaux se plongeaient dans ses yeux comme dans ceux du serpent Kaa. Il était déjà une personnalité importante du PPE, le groupe des conservateurs au Parlement européen, et les a longtemps tenus par la barbichette, tant ceux-ci comptent sur le Fidesz pour maintenir leur statut de groupe majoritaire. Il a fallu une ultime provocation de sa part – une campagne publicitaire en Hongrie visant non seulement George Soros mais aussi le président de la Commission européenne Jean-Claude Juncker – pour que le PPE se décide enfin à « suspendre » le Fidesz.

Au cours de cet automne 2006, le pays était vent debout contre un des ennemis jurés de Viktor Orbán : le Premier ministre socialiste Ferenc Gyurcsányi, qui l'avait détrôné en 2002. Des propos enregistrés, où il reconnaissait avoir « merdé » et avoir « menti le matin, le midi, le soir » sur les finances publiques pour gagner les élections de 2006, avaient déclenché une série de manifestations devant le Parlement à Budapest. Un petit parti d'extrême droite, le Jobbik, apparaissait alors sur la place, brandissant des slogans antisémites et des cartes de la Grande Hongrie (celle d'avant le traité de Trianon de 1920 qui l'a amputée des deux tiers de son territoire), le symbole obsessionnel des nationalistes hongrois. Orbán buvait du petit-lait mais laissait faire, bien trop malin pour se montrer parmi les manifestants. Il les encourageait de loin tel un fantôme, héros invisible et omniprésent de la révolte hongroise. Il avait malgré tout arraché de ses mains une des barrières métalliques qui protègent le Parlement, sous le nez des policiers et des photographes. J'avais interviewé le Premier ministre Ferenc Gyurcsányi, au moment où la colère grondait à deux pas de son bureau. « Orbán et moi, c'est le contraire, m'avait dit ce grand blond, aussi maigre et anguleux que son ennemi est court et trapu. J'étais communiste, je me suis débarrassé de pas mal d'illusions, je crois à la liberté plus qu'à l'égalité, à l'union des citoyens par la solidarité plus que par l'État. Orbán était un jeune démocrate courageux sous le communisme, il est devenu un vieux despote. »

Viktor Orbán était en train de devenir Viktor Orbán. Certains sont convaincus qu'il l'était depuis toujours. Deux grandes figures de l'opposition démocratique, l'écrivain György Konrád et l'historien György Litván, en discutaient sur la place des Héros, le 16 juin 1989, où ils avaient écouté avec admiration le discours fondateur du jeune orateur. Konrád, qui en a vu d'autres, était bluffé. Litván lui avait répondu : « Tu verras, c'est un petit Bonaparte. Kis Orbán, kis Bonaparte. » Déjà Orbán perçait sous Viktor, déjà Napoléon perçait sous Bonaparte, comme disait Victor Hugo – un autre Victor, celui-ci vraiment grand.

Au début des années 1990, rien de ce que disait Viktor n'avait de quoi fâcher le Tilos et ses habitués du centre-gauche : il était anticommuniste, économiquement libéral, culturellement de gauche. Dans ses discours, et jusqu'à la campagne électorale qui allait le faire revenir au pouvoir en 2010, il prônait même le contraire de son idéologie actuelle. Pas d'accents nationalistes, une volonté de parler vrai contre les démagogues qui trompent le peuple en créant de faux ennemis. Lui qui n'était pas natif de la capitale refusait alors de jouer avec le clivage, largement exploité pendant les années 1930, entre les « urbains », accusés d'être aisés, cultivés, juifs, athées, cosmopolites, et les paysans des terroirs, désignés comme nationalistes, chrétiens, peu éduqués et antisémites. Il n'avait pas alors, comme déjà d'autres de sa bande, cette haine viscérale de l'intelligentsia urbaine de gauche, de ces intellos polyglottes en vestes de tweed, forcément riches et dédaigneux. Jeune député élu en 1990, il se démarquait tout aussi clairement d'une politique qui exploitait la nostalgie et la grandeur perdue. Un jour où était évoqué en séance parlementaire le traité de Trianon, fameux point de fixation des nationalistes, il s'est levé. « Bon, on se casse », avait-il dit à ses collègues du Fidesz en quittant l'enceinte de Parlement. Mais, en 2006, il avait collé une carte de la Grande Hongrie sur le pare-brise de sa voiture. Je lui avais demandé pourquoi. « C'est mon fils qui l'a mise là pour s'amuser », m'a-t-il répondu.

Dès le début des années 1990, pourtant, on commençait à se poser des questions sur Orbán. Il changeait. De libéral de gauche, son Fidesz virait peu à peu conservateur de droite. Qui était-il, en vrai ? Avait-il caché dès le début des convictions nationalistes qu'on n'avait pas su voir, ou était-il un cynique prêt à tout pour accéder au pouvoir, adaptable aux désirs du peuple par opportunisme électoral ? L'hebdomadaire *Magyar Narancs* se détachait du parti. Chez les intellos artistes de centre-gauche, au Tilos, on continuait comme avant à se disputer mollement entre partisans du SzDSz, le parti de la vieille opposition démocratique des années 1980, dont l'écrivain Gyorgy Konrád avait été un des fondateurs, et ceux du Fidesz, celui des jeunes opposants des dernières années. Mais l'évolution de Viktor Orbán dérangeait et inquiétait même ses camarades naturels. Il avait habilement profité de l'espace laissé à droite après la mort de József Antall, et de l'arrivée au pouvoir d'une coalition de gauche, menée par le Parti socialiste (anciens communistes) et à laquelle s'étaient joints ses frères ennemis du SzDSz (centre gauche). Orbán devenait soudain l'unique opposant véritable à l'ancien régime communiste et son parti, le seul acceptable pour des conservateurs et des nationalistes devenus politiquement orphelins. Le Fidesz a saisi sa chance : tout en gardant sa première initiale de « Fiatal » (Jeune), il voyait plus grand et entamait sa conquête. Pari gagné : depuis 2010, il a été réélu trois fois de suite, avec une majorité des deux tiers lui permettant de modifier la Constitution à sa guise.

31

Viktor Orbán est maintenant à la tête d'un État-Parti quasi unique et d'une démocratie qu'il revendique lui-même comme «illibérale», en opposition aux libéralités post-soixante-huitardes des vieilles démocraties de l'Ouest rongées par le laxisme – sociétés cosmopolites, ouvertes aux migrants et en perte d'identité nationale, où des hommes et des femmes de même sexe se marient et ne savent même plus de quel sexe ils sont. « L'âge de la démocratie libérale est terminé, a-t-il annoncé au Parlement hongrois après sa victoire de 2018. Celle-ci n'est plus capable de protéger la dignité des citoyens, d'assurer la liberté, de garantir la sécurité et de maintenir la culture chrétienne. » Orbán hait la presse, qu'il accuse d'être tenue par les anciens communistes reconvertis dans les partis libéraux, et d'avoir œuvré à sa défaite au terme de son premier mandat. Bien aidé par la médiocrité de l'opposition, qu'il s'emploie à étouffer avec méthode et en toute légalité, il a tranquillement mis en place une «démocrature» inspirée par Vladimir Poutine, qui ressemble à la démocratie et sent bon la dictature.

Quand je pense à mon ancien héros de la place des Héros, je me demande comment il a pu devenir ce nationaliste grisé par le pouvoir et je n'arrive pas à me débarrasser d'un air que j'ai dans la tête, cette pub pour Canada Dry qui tournait en boucle dans les années 1980. «Il est doré comme l'alcool, son nom sonne comme un nom d'alcool... mais ce n'est pas de l'alcool. Et c'est pour ça qu'il désaltère.» La démocrature de Viktor Orbán est une boisson non alcoolisée. Dorée comme la démocratie, son nom sonne comme une démocratie... mais ce n'est pas une démocratie. Et c'est pour ça qu'elle désaltère. Elle assouvit des tas de soifs très primaires – la fierté nationaliste et le bonheur de désigner des boucs émissaires –, Bruxelles, les communistes, les migrants, les banques, les multinationales, les libéraux, les médias, les juifs. Orbán ne mentionne jamais les juifs. Il accuse les «banquiers cosmopolites». Il s'acharne contre George Soros, le milliardaire philanthrope juif américain d'origine hongroise, qui finance des ONG pour l'ouverture de l'Europe centrale à la démocratie. Du temps où Orbán était encore Viktor, il avait obtenu une bourse à Oxford grâce à Soros. Mais, depuis qu'il est Orbán, Soros le bienfaiteur de l'«Open society», sa fondation qui lui a valu d'être sacré personnalité de l'année 2018 par le *Financial Times*, est devenu son ennemi intime. Une campagne d'affichage montrait le milliardaire entouré des leaders de l'opposition, s'attaquant aux barbelés censés empêcher les migrants d'envahir le territoire. Jamais il ne prononce le moindre mot antisémite. Mais tout le monde l'entend. Comme dans ce discours du 15 mars 2018 contre un «réseau international organisé», prononcé trois semaines avant sa réélection: «Nous devons combattre un adversaire différent de nous. Son visage est caché, il n'agit pas franchement, mais de façon furtive. Il n'est pas droit et n'a aucun scrupule. Il n'est pas national, mais international. Il ne croit pas au travail et préfère spéculer. Il n'a pas de patrie, mais il croit que le monde entier est à lui.»

En janvier 2019, Viktor Orbán a quitté le bureau traditionnel des Premiers ministres hongrois, au premier étage du Parlement de Budapest, pour s'installer dans un autre, plus grand, qu'il s'est fait construire sur les collines de Buda, de l'autre côté du Danube. En janvier 2019, la prestigieuse université d'Europe centrale (Central European University) fondée par George Soros a été contrainte de quitter Budapest pour s'exiler à Vienne. Cela faisait presque trente ans qu'elle contribuait au rayonnement de la capitale hongroise, mais il est apparu soudainement qu'elle ne remplissait plus les critères légaux exigés pour une université étrangère, et les membres du gouvernement en sont « désolés » et « malheureux », répètent-ils en chœur. Michael Ignatieff, directeur de l'université, m'a reçue dans son bureau avant de déménager. Il était cafardeux. Il s'étonnait comme moi de ce lent revirement de l'ancien héros de 1989. « C'est étrange comme il s'est mis à ressembler à celui qu'il combattait, me dit-il. Orbán était un opposant courageux à Kádár (János Kádár, dirigeant de la République populaire de Hongrie de 1956 à 1989), et il l'a totalement copié. Il utilise la loi pour s'emparer de toutes les structures du pouvoir : économiques, scientifiques, culturelles, politiques. L'anti-Kádar est devenu Kádár. » Kádar a régné trente ans. Puis en trente ans, Viktor Orbán est redevenu János Kádár, de l'autocratie communiste à l'autocratie nationaliste. Comme à lui tout seul la métaphore d'une étrange boucle.

3

Mon chagrin de Belge

Ma mère se tient bien droite dans une robe Jackie Kennedy rouge. Une coiffure carrée courte rangée derrière les oreilles, un peu gonflée par le brushing, mais à peine. Elle baisse les yeux. Sous sa longue frange ramassée de côté, les paupières sont soulignées d'un trait de rimmel noir qui dépasse l'œil à son extrémité – une petite pointe rock tellement sixties. Elle a la beauté mystérieuse de Stéphane Audran dans un film de Chabrol, l'air d'hésiter entre la timidité et l'ennui, bien qu'elle soit une révoltée dont la colère et le chagrin grondent en cachette sous de grands rires contagieux. Elle fume. Mon père fume aussi, assis à sa droite, en veste et cravate. Ça sent le déjeuner du dimanche chez mes grands-parents belges, la nappe blanche sur la table, la bouteille de pinard avec le bouchon en plastique, le paquet de Gitanes posé à côté du panier à pain. On dirait qu'on en est au dessert, avant il y avait sûrement eu du gigot avec des flageolets et des frites, et après ce sera le match de foot à la télé. Mon père ressemble à Robert Mitchum, il porte une cravate étroite à l'américaine et un bout de cigarette entre les doigts, avec sa décontraction de grand cowboy. Sur ses genoux, il y a moi. Deux ou trois ans, je suppose. C'est une photo Polaroid en couleurs comme il commençait à y en avoir dans ces années-là – si je me souviens bien, la photo sortait instantanément d'un gros appareil en plastique, recouverte d'une feuille qu'on décollait au bout d'une minute, avec beaucoup d'excitation. La fumée de Gitanes fut ma toute première expérience olfactive, à m'en dégoûter pour la vie. Il paraît que la chambre de ma mère, à la maternité, était un nuage de fumée. J'ai des relents de nausée en pensant à ces voyages où tout le monde fumait vitres fermées, dans les avions Air Inter, dans les wagons de train qu'on traversait en apnée, dans la DS noire de mon grand-père belge. Le cendrier plein dans la 4L de ma mère. À l'arrière, je guettais l'air par les fenêtres. Les fameuses suspensions de la DS n'aidaient pas.

Un temps de pause hors du temps : mes parents ensemble, l'enfance à la campagne au milieu des animaux, les Trente Glorieuses, la croissance qui semblait infinie, le milieu des années 1960. La France s'ennuyait mais gigotait sur du Johnny. Mon père était plutôt gaulliste et ma mère très gauchiste. Les Beatles chantaient *Yesterday* et les Rolling Stones, *I Can't Get No Satisfaction* : l'affaire divisait. La guerre d'Algérie était finie, Mai 68 arrivait.

Mon père venait de la petite bourgeoisie flamande de Gand, du temps où les Flamands étaient les prolos dominés par les riches francophones, Flamands et Wallons confondus. Il avait grandi avec le complexe du Belge, dans l'admiration de tout ce qui venait de France et le rêve persistant d'en faire un jour partie. Dans la minuscule Belgique, ce genre de complexe a aussi produit l'inverse – une fabrique à nationalistes flamands et une sensibilité particulière à l'idéologie nationale-socialiste de leurs cousins germaniques, telle que l'a romancée Hugo Claus dans son *Chagrin des Belges*. L'esprit de revanche leur a donné des ailes après la guerre au moment où, peu à peu, l'histoire s'est inversée. La nouvelle richesse des Flamands, certes acquise par le mérite de leur travail et de leur productivité, les a imprégnés d'un nauséabond sentiment de supériorité sur les Wallons, jugés bons à rien depuis la fin des mines de charbon.

En 1984, la dernière houillère wallonne fermait ses portes, marquant la fin d'une histoire industrielle en Belgique. Encore une fois, c'était il y a (un peu plus de) trente ans : en Belgique, la fin d'un cycle économique et le début d'une nouvelle histoire politique, celle de la domination flamande et d'un sentiment nationaliste grandissant, né du ressentiment à l'égard de la suprématie wallonne francophone et de la condescendance de leurs élites.

Quand s'est produit ce retournement de l'histoire, mon père avait déjà émigré en France, poussé avec sa famille par l'avancée des troupes allemandes en 1940. Ce nationalisme flamand, il y était non seulement indifférent, mais incité à la fois par son complexe de Belge et par les aspirations bourgeoises de la famille à ne trouver bien que ce qui était français : tenir un semblant de rang dans la société exigeait de ne parler que le français et d'éviter le néerlandais, au point que les bonnes sœurs chargées de l'éducation des petits expliquaient que c'était l'unique manière de se faire entendre du Bon Dieu – qui, comme chacun sait, est francophone et ne comprend rien aux autres langues. Mon père en avait oublié son flamand pour le reste de ses jours. Même Jacques Brel était trop belge pour lui. La seule fierté ancestrale qu'il avait tenu à me transmettre était cette phrase de Jules César tirée des *Commentaires sur la Guerre des Gaules,* que ses instituteurs lui faisaient réciter comme une formule magique : « De tous les peuples de la Gaule, les Belges sont les plus braves. » Du coup, je ne l'ai jamais oubliée, moi non plus. Elle me rappelle le sourire de mon père, sa modestie, son regard affectueusement moqueur, la petite dose d'ironie qu'il glissait toujours pour vous faire réfléchir, et elle me console de notre nom compliqué. Une fois devenu français et professeur d'histoire à Paris, il l'avait simplifié en « Varenne » – « Van Ren », en laissant tomber le reste. Les générations d'élèves qui ont adulé son humanité et sa grande élégance n'ont sûrement jamais soupçonné ce que Varenne devait au complexe d'infériorité d'un petit immigré belge.

Il ne m'a jamais mentionné la suite du texte de César : les Belges sont les plus braves, «parce qu'ils restent tout à fait étrangers à la politesse et à la civilisation de la province romaine, et que les marchands, allant rarement chez eux, ne leur portent point ce qui contribue à énerver le courage : d'ailleurs, voisins des Germains qui habitent au-delà du Rhin, ils sont continuellement en guerre avec eux.» Autrement dit, nous les Belges sommes gentils mais il ne faut pas nous énerver.

Je suis arrivée un jour avec mon carnet de notes dans cette zone de turbulences qu'on appelle BHV et qui n'est pas le Bazar de l'Hôtel de Ville, mais bel et bien un bazar à la belge : Bruxelles et sa banlieue. On désigne par BHV – les initiales de Bruxelles-Hal-Vilvorde (en néerlandais : Brussel-Halle-Vilvoorde) – l'arrondissement électoral et judiciaire englobant les communes de Bruxelles et une partie de sa périphérie. Tout serait simple si les francophones n'étaient pas minoritaires en Belgique, si les néerlandophones n'étaient pas minoritaires à Bruxelles, et si les uns et les autres n'étaient pas aussi susceptibles et inquiets sur la prédominance de leur langue. Si ces communes n'étaient pas situées en Flandre et, pour certaines d'entre elles, tenues par la loi d'accorder des «facilités linguistiques» aux minorités francophones. Et si Bruxelles, la région-capitale de Belgique, n'était pas à la fois francophone et située en plein milieu du territoire flamand... Bref, comme le dit si bien une expression locale, c'est chaud comme une baraque à frites.

Le plat pays qui est le mien est moins morne que ne nous le chante Brel et d'une taille géographique inversement proportionnelle à son aptitude à se compliquer la vie. Quand on additionne les rivalités ancestrales entre Flamands et Wallons et une conception de la politique pour le moins originale consistant à laisser passer des mois sans constituer un gouvernement, le casse-tête s'alourdit. Et quand on ajoute à cela le fait que Bruxelles est aussi le siège des institutions de l'Union européenne, donc en quelque sorte la capitale de l'Europe, on peut conclure sans trop de risques que ce big bazar belge est lourdement chargé en métaphores.

J'ai été platement ramenée à ma condition de Flamande francophone ce jour-là à Hal, l'une des communes néerlandophones de la périphérie de Bruxelles, où j'avais rendez-vous avec le bourgmestre pour *Le Monde*. À l'accueil de la mairie, l'employée municipale, qui avait repéré mon nom flamand inscrit sur le registre, commence par me poser une question en néerlandais, laquelle me paraît infiniment longue. Je lui demande aimablement de la répéter en français. Après un petit soupir agacé, elle recommence sa longue tirade, dans la même langue. J'ai la naïveté de croire à un malentendu. «Pouvez-vous le dire en français, s'il vous plaît?» lui répété-je. «Neen», me répond-elle d'un air réprobateur, avant de poursuivre en anglais. En anglais! À Bruxelles! Chez moi! Le bourgmestre surgit alors, très cordial, pour m'expliquer dans un français parfait que l'employée de mairie n'a pas le droit de parler français en ce lieu, conformément à la loi belge sur l'usage des trois langues officielles : dans l'administration et les bâtiments publics, on parle néerlandais en Flandre, français en Wallonie, les deux à Bruxelles, et allemand dans la région située à l'est du pays. L'usage de l'anglais est toléré par défaut, le texte législatif ayant oublié d'en faire mention. En 2007, excédé que les francophones, y compris le roi des Belges, ne fassent aucun effort pour parler correctement le néerlandais, le conseil municipal de Hal avait poussé le zèle jusqu'à décider la suppression de toutes les inscriptions en français, sous peine d'amende. Dans cette ville qui jouxte Bruxelles, où viennent flâner les Bruxellois et les Wallons voisins, il devenait ainsi interdit aux commerçants d'indiquer « Soldes » au lieu de « Solden » sur leur vitrine, et aux enfants de parler français dans les cours de récréation. À la mairie, mon nom flamand aggravait mon cas : parler français dans un établissement public faisait de moi non seulement une contrevenante à la loi, mais carrément une traîtresse.

On a cru à une blague belge quand l'idée a surgi d'installer un « corridor », quasiment un couloir humanitaire, pour relier Bruxelles à la Wallonie. C'est une rengaine farfelue qui ressurgit régulièrement depuis des décennies. Mais en 2008, les revendications indépendantistes flamandes et la perspective d'un éclatement du pays étaient telles que le débat sur le corridor s'est mis à prendre une tournure très sérieuse. Cartes d'état-major à l'appui, on en a discuté en haut lieu, côté flamand et côté wallon : il s'agissait, dans l'éventualité d'une séparation de la Belgique, de garantir une « continuité territoriale » entre la commune bruxelloise d'Uccle et celle de Waterloo, en Wallonie, en passant par quelques kilomètres carrés de territoire flamand – en l'occurrence un morceau de la forêt de Soignes. Je me souviens qu'un certain Herman Von Rompuy, futur président du Conseil européen et alors président de la Chambre des représentants de Belgique, était l'un des responsables politiques à considérer le corridor sans en rire. La chose était examinée à la loupe, les questions fusaient en tous sens. « Que voulez-vous qu'on fasse d'un bout de forêt, alors qu'il est quasiment impossible en Belgique d'abattre un seul arbre ? » s'inquiétait une bourgmestre francophone. D'autres s'interrogeaient sans rire sur le futur statut juridique du corridor dans l'espace Schengen. Et puis tout est retombé comme un soufflé. Même si les séparatistes flamands, au contraire des Brexiters britanniques, tiennent en majorité à rester dans l'Union européenne, le débat fou du corridor a eu pour vertu de rappeler que, du Brexit au « Flanxit », l'indépendantisme et le nationalisme sont plus faciles à fantasmer qu'à mettre en œuvre... jusqu'à ce qu'on l'oublie une fois de plus, et que les mêmes fantasmes reviennent.

Je revois mon père pleurant tout seul devant la télé en noir et blanc à la mort de De Gaulle, son héros. Je pense à mon autre grand-père, juif de Turquie, ancien communiste, qui a participé au Débarquement en Provence. À ma grand-mère, si délicate et délicieuse avec tout le monde, qui a brutalement fermé la porte au nez d'un vieil ami allemand venu lui rendre visite à Paris en toute naïveté, sanglé dans un uniforme de la Wehrmacht. Dans ma famille contradictoire, l'Europe émergeait comme un rare point de rassemblement, une évidence inconditionnelle. La construction de l'Union européenne avait été accueillie comme une bénédiction. Plus tard, ma mère s'est mise à la prendre en grippe par antilibéralisme et son ultime pied de nez aura été de s'éteindre le 29 mai 2005, le jour même du référendum sur le traité constitutionnel européen – où elle aurait voté non. Mais elle qui, à droite, ne tolérait que Simone Veil et détestait la grandiloquence militaire de De Gaulle, reconnaissait que « quand même, on lui devait ça ». « Ça », c'était d'en avoir fini avec le nazisme, l'Holocauste, la guerre menée au nom du nationalisme et du racisme.

Ces générations disparaissent. La Seconde Guerre mondiale n'existe plus que dans les livres d'histoire, de Gaulle et Churchill ne sont pas plus proches que Napoléon ou Cromwell. D'après un sondage Ifop de décembre 2018, un Français sur dix affirme n'avoir jamais entendu parler de la Shoah. Qui, aujourd'hui, au-dessous de trente-cinq ans, a été marqué par des grands-parents ayant traversé la guerre ? Qui, au-dessous de trente-cinq ans, à moins de bénéficier d'un entourage conscient et attentif, peut saisir la beauté, la nécessité, l'urgence de la solidarité européenne ? Mes cousins flamands ne devraient pas oublier leur chagrin.

4

Le marchand de Dublin

J'avais oublié à quel point les mouettes sont bruyantes à Dublin. Elles braillent tant qu'elles peuvent sur Grafton Street, dans le froid humide de novembre. Des musiciens se réchauffent à la bière sans réussir à les concurrencer. Les décorations de Noël sont déjà suspendues d'un immeuble à l'autre. La nuit tombe à 16 heures.

John Corcoran m'attend debout à l'entrée du Bewley's, le café institutionnel de Grafton Street, en cravate et veste de tweed, un cartable noir à la main. John n'a pas beaucoup changé. Ses cheveux ont perdu leurs boucles et se sont un peu raréfiés mais il a gardé son air d'Anthony Hopkins – en version gentille. Il avait son même visage rond en face de lune, souriant, calme, un peu triste. La même résignation élégante et polie face aux batailles de la vie. Quand nous sommes-nous vus la dernière fois ? Il a fait le calcul en m'attendant. « J'ai soixante-six ans, Marion.

C'était il y a huit ans », dit-il en me serrant la main à me briser le métacarpe.

Il y a huit ans, en novembre 2010, l'Irlande payait cher les contrecoups de son euphorie d'il y a trente ans. La petite île à l'ombre du Royaume-Uni, qui avait traversé la famine, la pauvreté, la guerre civile dans le Nord et des générations d'émigrés en Amérique et en Europe, avait été rebaptisée « Tigre celtique » le temps d'une décennie folle de joie. En ces années 1990, l'Irlande était en état d'excitation, comme grisée : taux de croissance parmi les plus élevés du monde, PIB multiplié par deux, chômage divisé par trois, valeur des biens immobiliers multipliée par quatre, par huit, par dix. Les maisons et les immeubles poussaient comme des champignons, des hameaux entiers sortaient de terre pour accueillir les Irlandais qui revenaient d'émigration et les immigrés qui accouraient en masse d'Asie et d'Europe centrale, appelés par le besoin de main-d'œuvre. Les banques prêtaient sans fonds et sans fin, accordant des crédits à 100 % de la valeur du bien, ou même plus, remboursables sur trente ou quarante ans. Le gouvernement encourageait l'emballement à coups d'incitations fiscales, attirait les multinationales, dopait l'économie. Tout était facile. La bulle immobilière gonflait. On dépensait, on flambait, on s'endettait. La petite Irlande, ivre de sa richesse nouvelle, dansait sur ses talons aiguilles comme si la fête n'allait jamais prendre fin.

De Varsovie à Prague, de Budapest à Ljubjana, l'Irlande était observée de près. Le Tigre celtique fascinait tout particulièrement à l'Est, où il servait d'exemple et d'inspiration au développement économique des États de l'ancien bloc soviétique, tout juste débarrassés du Mur et qui préparaient leurs dossiers de candidature à l'Union européenne. L'ascension de ce petit pays venu de la famine avait été fulgurante : entrée dans l'Union européenne en 1973, réformes économiques dans les années 1980, usage immodéré des libéralités fiscales pour attirer les entreprises, ouverture aux échanges et suppression de ses carcans (libéralisation du divorce, dépénalisation de l'homosexualité, diminution de la pratique religieuse), jusqu'à l'accord de paix de 1998 qui mettait fin à trente ans de « troubles » meurtriers en Irlande du Nord. Mais, en 2004, quand plusieurs pays de l'Est vivent comme une fête leur rattachement à l'Union européenne, l'île la plus à l'ouest du continent commence, elle, à s'en lasser. Sa prospérité économique lui donne un sentiment de surpuissance. Quand il s'agit de ratifier par référendum le traité de Lisbonne, en 2008, l'Irlande vote non. Juste après, elle se fracasse sur la crise des dettes souveraines. La bulle immobilière explose, les banques craquent, l'économie s'effondre, les déficits s'envolent. Tout n'était qu'une flambée de paille, un vent de folie. Adieu veau, vache, cochon, couvée ! L'Irlande plongée dans l'euphorie de la croissance dès la fin des années 1980, passée du plus pauvre au presque plus riche pays d'Europe, s'est prise pour la laitière de La Fontaine et la violence du contrecoup est à la mesure de l'excitation qu'elle a connue. Le Tigre celtique s'effondre sur le dos, épuisé, pattes en l'air.

Deux ans plus tard, en 2010, le secteur bancaire est sous perfusion, le chômage à 14 %, le déficit public à 32 % du PIB. Dublin doit signer un plan de sauvetage douloureux avec l'UE et le FMI. Les pays d'Europe centrale, que le modèle irlandais avait inspirés, observent attentivement sa chute. Orbán, à l'époque, a déjà choisi une autre voie.

C'est à ce moment-là que j'ai rencontré John Corcoran.

Grafton Street, en 2010, n'était plus que l'ombre d'elle-même. Il ne restait plus grand-chose de sa splendeur ancienne des années 1990, où cette jolie rue piétonne en forme de courbe et bordée de boutiques était devenue soudain l'une des cinq rues les plus chères du monde pour les loyers des commerces. Seulement devancée par la 5th Avenue à New York, les Champs-Élysées à Paris, la Causeway Road à Hong-Kong, la via Montenapoleone à Milan, elle avait même surpassée New Bond Street à Londres. C'était fini. Le pic de la crise maniaco-dépressive. À l'époque où j'ai rencontré John Corcoran, la boutique Laura Ashley, pilier de Grafton Street, avait dû fermer. D'autres commerçants de Grafton Street licenciaient ou rusaient. Un photographe avait installé son entreprise à l'étage, pour ne pas payer le pignon sur rue. Des panneaux « à vendre » et « à louer » recouvraient les façades ; on aurait dit que toute l'Irlande était à vendre et à louer. En arpentant le pays, on tombait sur des villes fantômes, des lotissements flambant neufs qui n'avaient jamais trouvé acquéreur, des centres commerciaux sur plusieurs étages dont il ne restait que des affiches publicitaires multicolores invitant les marques à investir des stands et les passants à consommer, le tout dans un local gigantesque et vide. Le long des routes gisaient des carcasses de béton abandonnées en pleine construction, comme les vestiges d'un paysage de guerre.

Cet automne 2010, une pancarte géante était dressée sur une façade de Grafton Street, avec une inscription en lettres noires et rouges: « *High rents are killing our jobs.* » Les loyers élevés tuent nos emplois. Au rez-de-chaussée de l'immeuble de trois étages, que la pancarte recouvrait presque entièrement, se trouvait un magasin. Korky's. En vitrine, il y avait des chaussures bon marché pour adolescents, et dans la boutique, un homme distingué, costume-cravate et cheveux blancs : John Corcoran. Comme les autres commerçants de la rue, il guettait le chaland. Les passants étaient toujours aussi nombreux, mais ils ne s'arrêtaient plus dans les boutiques comme avant. On ne les voyait plus avec à leur bras un de ces sacs trahissant une incartade au grand magasin de prêt-à-porter Brown Thomas, chez le marchand de minicornemuses et de mugs à moutons celtiques ou à la bijouterie Weirs.

John Corcoran cachait sa révolte sous un calme de gentleman. La pancarte géante, c'était lui. L'homme qui fédérait la colère des commerçants de Grafton Street, c'était lui. Les prix avaient augmenté à la vitesse de l'éclair et n'étaient plus adaptés aux chiffres d'affaires. Les propriétaires des murs, généralement des multinationales invisibles, étaient encouragés par une loi obligeant les loyers à n'être modifiés que vers la hausse, avec impossibilité de le résilier avant terme. À la place de Laura Ashley, un grand magasin Walt Disney avait repris le bail. Devant la vitrine en travaux, les ex-employés de Laura Ashley manifestaient en brandissant cette pancarte : « Ce conte-là ne se terminera pas par : "Ils vécurent heureux et eurent beaucoup d'enfants…" » John avait payé 3 000 euros l'installation de la pancarte. Il n'était plus à ça près. Il ne pouvait plus payer son loyer et avait entamé une action en justice contre le propriétaire des murs. La loi devait changer pour protéger les commerçants.

Nous évoquons ces souvenirs au Bewley's, John et moi, autour d'une tarte aux pommes et d'un cheesecake. En sortant, nous remontons vers St Stephen's Green. Je cherche à reconnaître la façade où était suspendue l'affiche, et la vitrine de Korky's au bas de l'immeuble. John s'arrête devant un magasin de chaussures. Le nom n'est plus Korky's, mais Ecco.

– Voilà, Marion. C'était là. Le magasin n'existe plus. *It's gone*, Marion.

Cette manière qu'il avait de prononcer mon prénom à la fin de ses phrases me chamboulait. On est resté un moment devant la vitrine à regarder les chaussures d'Ecco, sans rien dire.

– Ça vous rend triste, John ?

– Non, Marion. Je ne suis pas triste. Je suis soulagé.

– C'est moins dur pour vous qu'il y a dix ans ?

– C'est plus dur, Marion. On a gagné de l'argent pendant trente ans, et depuis la crise financière on n'a pas cessé d'en perdre. Ça ne s'est jamais arrangé depuis. Cela fait dix ans que mon entreprise perd de l'argent chaque année. On n'a plus d'argent. On ne prend plus d'emprunts, on paye le propriétaire avec retard. On puise dans nos réserves. Je ne sais pas comment nous pourrons nous en sortir, Marion.

– Le plan de sauvetage de l'Union européenne et du FMI, les réformes, les hausses d'impôts, c'était dur pour vous ?

– C'était très dur. L'essentiel de l'effondrement a eu lieu en 2008. Depuis, l'économie a amélioré sa croissance mais nous avons toujours trop de dettes. L'Irlande a été sauvée de la faillite. Il fallait le faire, sans doute. Mais c'est dur. *Definitely.*

– Au référendum sur le traité de Lisbonne, vous aviez voté oui ou non ?

– Je ne me souviens pas. (Les Irlandais avaient voté non une première fois, puis oui après avoir obtenu certaines dérogations). J'avais voté oui la deuxième fois, je crois que j'avais voté non la première. Je ne sais plus, Marion. J'étais trop préoccupé par mes affaires. Je me souviens que quand les Grecs ont eu besoin du FMI, ils avaient l'air d'être un cas isolé, on mettait ça sur le compte de leurs problèmes structurels. Puis sont venus les Irlandais, et on a pris conscience que c'était un système.

– Aujourd'hui, les experts expliquent l'élection de Trump, le sentiment populiste antieuropéen et l'arrivée des nationalistes un peu partout en Europe par la crise financière de 2008. Vous comprenez cette réaction, John ? Vous en voulez à l'Union européenne, vous aussi ?

– Je n'ai pas le temps d'y penser vraiment, Marion. J'ai trop de problèmes avec mon entreprise, je pense plus à elle et à mes employés qu'à l'Union européenne. Ce que je peux vous dire, c'est que ma vie allait toujours de mieux en mieux, dans les années 1960, 1970, 1980... et que maintenant tout va de moins en moins bien. L'économie était en croissance continue, on a pu s'acheter une maison, même deux. Mes deux filles sont indépendantes déjà. J'ai une vie plus confortable que celle de mes parents. Mais aucun de mes trois enfants ne vivra mieux que moi.

Après notre première rencontre en novembre 2010, John avait changé sa pancarte. Une autre, tout aussi géante, recouvrait la même façade avec cette inscription : « Nous passerons une loi donnant le droit à tous les locataires... » Le reste de la citation est barré d'une affiche en lettres capitales rouges : « LIARS. » Menteurs. La citation est tirée du manifeste du Fine Gael, le parti de celui qui allait devenir Premier ministre, Enda Kenny, et qui pendant la campagne électorale avait promis aux locataires (*tenants*) qu'il réviserait la loi sur les loyers. Petite parenthèse ici : sans être excessivement simpliste, je peux m'avancer à préciser que le Fine Gael et le Fianna Fail, les deux principaux partis issus de la guerre civile qui depuis se partagent le pouvoir en Irlande, tous deux de centre droit, sont assez difficiles à distinguer idéologique-ment, même si le premier est un peu plus conserva-teur et le second un peu plus libéral. « Nous avions soutenu le Fine Gael de Enda Kenny à cette condition, raconte John. Une fois élu, il nous a laissés tomber. Il nous a menti. C'était avant qu'on ferme le maga-sin. » En 2013, le Korky's de Grafton Street a baissé les armes.

John Corcoran n'avait pas été grisé, lui, par les années du Tigre. Il a connu l'Irlande pauvre, archaïque, agricole, ultraconservatrice, où le clergé catholique tout-puissant dictait sa loi. Où il était inter-dit de divorcer, d'avorter, d'acheter un préservatif. Interdit aux femmes de travailler dans la fonction publique et même de continuer à travailler une fois mariées. Les ancêtres avaient connu la famine des années 1840. Le père de John Corcoran, qui s'appelait John Corcoran, n'avait pas hérité de la ferme paren-tale, qui revenait selon la tradition à son frère aîné. Né en 1904, il avait acheté pour 50 livres un emploi de laitier – dans la misérable Irlande de l'entre-deux-guerres, les emplois étaient si rares qu'il fallait payer un droit d'entrée pour travailler. Chaque matin, il se lève à 3 heures, se rend à la laiterie à 4 heures, prépare la carriole, harnache le cheval et distribue les bouteilles sur le seuil des maisons. Après le petit déjeuner, il repart chercher les bouteilles vides, fait ses comptes, dort jusqu'au soir. Ses enfants ne le voient jamais. La même vie jusqu'à sa mort en 1973. Ou presque : au milieu des années 1960, le cheval et la carriole se transforment en grosse voiture électrique, rechargeable la nuit. Elle tombe souvent en panne au milieu de la rue. La mère de John fait des gâteaux qu'elle vend pour les mariages et les baptêmes. « On mangeait trois fois par jour, on avait de la chance », note placidement John, qui ne se plaint jamais. Dans le quartier, on se presse à la soupe populaire offerte par les bonnes sœurs. Faute de travail, on s'exile.

John, né dans la banlieue de Dublin en 1952, a quitté l'école à quatorze ans, est devenu garçon de courses chez Guinness, a pris des cours du soir, passé un diplôme de comptable et réussi à s'inscrire à la prestigieuse London School of Economics de Londres. En 1980, il ouvre son premier magasin de chaussures à Dublin, dans une usine désaffectée transformée en marché couvert : le futur centre commercial St Stephens, au bout de Grafton Street.

Voilà pourquoi John Corcoran avait déjà le même visage souriant et un peu triste dans les années 1990, quand le Tigre celtique a surgi de la jungle. Quand il revient de Londres en 1979, l'Irlande n'est plus celle qu'il a quittée : elle est entrée dans l'Union européenne en 1973 et la paix fait son chemin entre Londres et les organisations paramilitaires de l'Irish

Republican Army. Les sociétés étrangères commencent à s'implanter. Au fil du temps, il ouvre six boutiques en Irlande, dont celle dont il est le plus fier, 47 Grafton Street, en 1995. Les années 2000 à 2005 sont fastes, mais il se méfie. Les loyers montent plus vite que les chiffres d'affaires. La machine s'emballe. Tout va très vite. John voit passer l'euphorie générale comme un train lancé à toute vitesse. La démesure de la consommation le dérange. «Je dois être resté prisonnier de mon passé, dit-il, le sourire timide. Dépenser, dépenser, dépenser, les gens ne pensaient plus qu'à ça. Pour quoi faire? Tout cela me semblait très vide.» Sa femme Morya a senti tout de suite, elle aussi, que «tout ce clinquant, tout ce gâchis, ça ne pouvait que mal finir». John et Morya se sont rencontrés en 1985, dans un pub. C'était avant la folie. Elle venait d'un milieu pauvre, elle aussi. Devenus aisés, ils n'ont jamais changé leur train de vie. Leurs trois enfants non plus, pourtant des «bébés tigres» nés entre 1987 et 1995 dans les années d'opulence.

Leur sagesse n'a pas suffi. La folie des autres et la crise financière ont emporté le marchand de chaussures de Grafton Street. Au problème des loyers s'est ajoutée la concurrence d'Internet, face à laquelle il se sentait trop vieux pour s'adapter. «Nous sommes spécialisés dans la chaussure pour *teenagers* et en Irlande, la plupart des jeunes achètent leurs chaussures sur des sites britanniques. On essaie de vendre sur Internet, mais c'est difficile de rattraper le retard sur les autres quand on n'est pas formés pour ça.» Depuis la crise, l'entreprise n'a jamais été profitable. John se verse un salaire qui revient à environ 5 000 euros net par mois. « C'est un assez bon salaire, reconnaît-il, mais le problème, c'est qu'il est supérieur aux moyens de ma société. Chaque année, je crée des dettes supplémentaires. » Et chaque année, ses cinq magasins, qui emploient quarante personnes, perdent de l'argent.

L'Irlande s'est pourtant relevée du choc de la crise financière, après sa décennie de griserie et le douloureux plan d'aide international dont elle est sortie en décembre 2013. Le petit pays avait aussitôt retrouvé la croissance, l'une des plus fortes de toute l'Union européenne. Le chômage baissait, les émigrés revenaient. Mais combien, parmi les 4,6 millions d'habitants, ressentent ces indicateurs optimistes dans leur vie quotidienne ? John Corcoran n'est pas le seul à ressentir l'effet boomerang de trois ans de sacrifices et d'austérité draconienne. « C'est comme un accident de voiture au ralenti, Marion. Mon business s'effondre. Celui de Grafton Street était le plus grand et le plus vital. Je dois prendre une décision : est-ce que je continue à m'endetter, ou est-ce que j'arrête tout ? » Il fait les calculs, tourne les chiffres dans tous les sens. « À nous deux, nous aurons une retraite de 230 euros par semaine. Avec l'assurance privée, on arrive à 400. Nous possédons notre maison. Nous vendrions notre deuxième voiture et la maison de vacances dans le sud de l'Irlande. Nous n'avons plus qu'un enfant à la maison sur les trois. C'est faisable. » En janvier 2019, j'ai reçu un mail de John Corcoran. Il avait pris la décision de fermer sa boutique de Limerick. Il lui en reste trois à Dublin et une à Cork. Il ne sait pas s'il pourra les maintenir.

L'histoire a donné aux Irlandais le cuir épais: une résistance à la douleur supérieure à la moyenne. John Corcoran ne se plaint de rien. L'Union européenne, il n'en a pas d'idée particulière. Il n'a pas oublié la guerre civile meurtrière qui a ravagé son pays pendant trente ans et regrette le Brexit, qui n'exclut pas que l'on rétablisse un jour une frontière physique entre les deux Irlande et menace gravement la paix que l'accord du Vendredi saint a protégé depuis 1998. Mais sans plus. Pour son commerce, il n'imagine pas que ça change grand-chose, vu que les chaussures qu'il vend sont fabriquées en Chine. «Je préfère rester européen. C'est une grande idée. Mais, depuis dix ans, je suis trop occupé par mon business chaque jour pour penser à tout ça.» Comme l'a dit un de nos Gilets jaunes: «Vous me parlez de la fin du monde, moi je m'occupe de la fin du mois.»

Sur Grafton Street, on fait l'inventaire de ce qui a disparu et de ce qui est apparu, depuis la dernière fois où nous nous sommes vus. Les nouveaux commerces, ceux qui ne sont plus, comme le sien. Le magasin de téléphonie est toujours là, le Benetton aussi a survécu. Le Burger King n'était pas là. C'est surtout l'Irlande qui a tellement changé, depuis dix ans. Les scandales dans l'Église catholique ont affaibli le poids de la religion. L'avortement a été légalisé au terme d'un référendum emporté haut la main, ce qui était encore inconcevable il n'y a pas longtemps, dans la petite Irlande si conservatrice. Un Premier ministre d'origine indienne et ouvertement gay est à la tête du gouvernement, preuve absolue que l'Irlande a tourné une page. Dans l'inventaire, John n'oublie pas de me signaler que son petit pays a donné quatre prix Nobel de littérature. «William Butler Yeats en 1923, George Bernard Shaw en 1925, Samuel Beckett en 1969, Seamus Heaney en 1995 – Seamous Heaney habitait à un kilomètre de chez lui, en banlieue de Dublin, près de la mer», précise-t-il. Il récite les dates et les noms par cœur, avec son air un peu triste. Je lui demande s'il est fier. Il hésite. «Oui, je suis fier. Je pense que oui. Absolument. »

Il m'annonce aussi, comme en passant, que le gouvernement a changé les lois pour les futurs contrats de location. Désormais, les loyers peuvent être revus à la hausse mais aussi à la baisse, ce qui n'était pas le cas. «Je n'en ai pas le bénéfice mais je ne me suis pas battu pour rien. Je suis content», dit John. Grâce à lui, son successeur a bénéficié d'une réduction de plus de la moitié du loyer annuel. 200 000 euros, au lieu des 400 000 qu'il devait payer. Ce combat gagné trop tard me rend furieuse. « C'est injuste ! », m'exclamé-je. « Oui, c'est injuste. Mais la vie est injuste, Marion. »

John Corcoran me fait la bise dans la bise de Grafton Street. Les mouettes braillent toujours. Je lui demande quels sont ses rêves pour les années à venir.

– Je n'ai pas de rêves particuliers, Marion. Rien ne me manque. Je n'ai pas besoin d'argent. J'essaie juste d'en perdre le moins possible. Je n'ai pas voyagé depuis dix ans. Avant, j'allais en France. J'aimais bien. Oui, ça, ça me manque un peu. Mais y a tellement de choses à voir sur l'iPad. Je voyage avec ça.

– Vous êtes heureux ici, à Dublin ?

– Oui.

– Pourquoi ?

– Pourquoi pas, Marion ?

5

Tous les chemins mènent à Rome

Comme il n'y avait pas de chauffage à l'intérieur du monastère, il m'a proposé qu'on s'installe sur la terrasse pour l'interview, au soleil. J'ai répondu : pourquoi pas ? Il est parti chercher deux chaises, les a posées face à face et m'a demandé de l'attendre là. On se gelait à peu près autant dehors que dedans en cette belle journée d'hiver, perchés à 800 mètres d'altitude. Je sautillais sur place en contemplant les courbes de la chartreuse médiévale, son ensemble de bâtiments reconstruits au XVIIIe siècle, sa succession de toitures en tuiles rosées qui dominaient les montagnes de la campagne romaine. C'était grandiose et sublime, certes, mais le comique de la scène l'emportait sur le recueillement : cette vaste terrasse entièrement vide, sans une table ni un pot de fleurs, avec les deux chaises plantées en plein milieu, et moi qui faisais des bonds toute seule en attendant Benjamin. J'étais en train d'imaginer que Luis Buñuel aurait sûrement fait passer un chameau ou un zèbre dans le champ de la caméra, suivis d'un archevêque à chapeau portant un crucifix géant, quand Benjamin est revenu. Nous nous sommes assis solennellement face à face. Il a sorti son magnétophone. «Steve m'a recommandé de toujours enregistrer les interviews», m'a-t-il dit d'un air concentré en appuyant sur le bouton «Record». Steve, c'est Steve Bannon. L'ancien conseiller stratégique de Donald Trump, le héraut de l'ultradroite américaine, le croisé de l'Occident chrétien, l'idéologue subversif qui veut renverser les «élites mondialistes», démolir l'Union européenne, fédérer les droites nationalistes d'Europe, exporter partout la «révolution trumpienne». Le copain de Benjamin.

Les quelques épisodes qui avaient précédé cette matinée mémorable ne manquaient pas de sel non plus, ils n'avaient fait qu'accroître mon impatience de rencontrer Benjamin Harnwell. J'avais suggéré de venir le voir dans son bureau de Rome, mais il m'avait demandé de le rejoindre plutôt à Trisulti, ce que j'avais accepté aussitôt, avant d'avoir cherché Trisulti sur la carte et sans avoir compris si ce lieu de rendez-vous signifiait une maison particulière, une auberge ou le monastère lui-même. Les mails de Benjamin, du genre secs et brefs, ne débordaient pas d'explications. En revanche, il les terminait toujours, après sa signature, par une même et mystérieuse phrase en latin : «In Sacratissimo Corde Iesu et Purissimo Corde Mariae et Castissimo Corde Ioseph». J'en avais déduit qu'il était plutôt bien disposé puisqu'il s'adressait à moi

« au nom du cœur très saint de Jésus et du cœur très pur de Marie et du cœur très chaste de Joseph ». Au fur et à mesure, il s'est même mis à signer « Ben ». Bref, Benjamin m'inquiétait un peu mais entre lui et moi, c'était un bon début.

Le train de Rome m'avait laissée dans une minuscule gare au milieu de nulle part, à une centaine de kilomètres au sud de la capitale, d'où partait un bus jusqu'à la station thermale de Fiuggi. De là, il restait à grimper la montagne en voiture et patienter sur la route bloquée par un troupeau de chèvres avant d'atteindre le monastère, juché comme un nid d'aigle dans les Abruzzes. L'endroit semblait désert, mais à l'intérieur une dame était là pour m'annoncer que « Benjaminé arriva tra un momento ». La curiosité me piquait le nez. Les photos de lui que j'avais vues sur Internet donnaient l'impression d'un être aux apparences changeantes, parfois sévère et rasé de près, parfois muni d'un chapeau et d'une longue barbe sauvage dont on se demandait si elle souhaitait exprimer la religiosité d'un pope orthodoxe ou le détachement d'un rocker hippie. Mais c'est encore un autre Benjamin qui a surgi dans le contre-jour : un petit homme en jeans et gros pull de laine polaire, les cheveux bruns lissés vers l'arrière, sa médaille de baptême bien en vue sous le pull. Il était plus chaleureux que ne le laissaient penser ses mails ou le site du Dignitatis Humanae Institute, l'académie « pour la défense de l'Occident judéo-chrétien » qu'il a fondée avec l'aide de Steve Bannon. La photo de celui-ci trône d'ailleurs en majesté sur la page d'accueil du site, accompagnée d'une reproduction entre guillemets de ses propos élogieux à l'égard de Benjamin : «… Harnwell, le mec le plus intelligent de Rome… Il a montré qu'il était un dur à cuire. Il a l'air d'un moine, mais en fait c'est un vrai dur. » Steve et Benjamin œuvrent ensemble à l'avènement d'un nationalisme populiste mondial. « L'histoire est de notre côté, la vague de l'histoire est avec nous et elle nous portera de victoire en victoire ! », avait clamé Steve Bannon aux côtés de Marine Le Pen, sur la tribune du congrès du Front national (rebaptisé Rassemblement national) à Lille, le 10 mars 2018. Tout au long des quelques heures que j'ai passées au monastère, de l'interview sur la terrasse au déjeuner dans la salle à manger avec les employés, je dévisageais Benjamin avec perplexité, pour ne pas dire avec angoisse. Est-ce donc lui, l'avenir qui nous attend ?

« Avec Steve, on se parle tous les jours au téléphone », me glisse tout naturellement Benjamin Harnwell, qui cite son Steve à tout bout de champ et me précise qu'ils se sont rencontrés à New York, présentés l'un à l'autre « par un ami commun ». Il n'était pourtant pas écrit que leurs chemins se croisent un jour. Steve Bannon est né en 1953 sur la côte Est des États-Unis, en Virginie, à l'entrée de la baie de Chesapeake. Benjamin Harnwell est né en 1975 dans le Leicestershire, au cœur des Midlands, en plein milieu de l'Angleterre. Séparés par une génération et par l'océan Atlantique, ils ont en commun des parents modestes, plutôt engagés à gauche, et l'importance de la religion catholique. Bannon, fils d'un employé d'une compagnie d'électricité, a fait ses études secondaires dans une académie militaire catholique, avait des convictions démocrates et a servi dans la Navy avant de quitter à la fois l'armée et le Parti démocrate, dégoûté par le déclin militaire de son pays pendant les années Carter. Banquier d'investissement chez Goldman Sachs, il se lance dans la production de films à Hollywood, réalise des documentaires et s'engage aux côtés du Tea Party, mouvement politique ultraconservateur de la classe moyenne blanche, né en réaction à la crise financière de 2008. Son propre père en est sorti ruiné. Bannon, qui l'a vu pleurer, en a tiré une profonde détestation de Wall Street. Quant à Harnwell, fils d'un pompier et d'une comptable, il a lui aussi été élevé dans une famille « working class » où l'on votait Labour ou LibDem. La religion, en revanche, il y est venu tout seul. Son père était anglican, sa mère protestante, aucun des deux n'était pratiquant. Benjamin s'est fait baptiser anglican à l'âge de vingt-sept ans puis s'est converti au catholicisme. Dès lors, il s'est jeté à corps perdu dans une idéologie politique déterminée par sa conviction religieuse. Diplômé de chimie à l'université de Warwick à Coventry, il a abandonné les sciences et travaillé pour le think tank de l'économiste et biographe de Keynes, Robert Skidelsky. Puis comme attaché parlementaire d'un eurodéputé conservateur britannique,

Nirj Deva. Avec lui, il s'est engagé tout particulièrement dans un combat contre l'avortement et pour les valeurs traditionnelles de la famille, et pour inscrire les racines chrétiennes de l'Europe dans le préambule de la Constitution européenne. Jusqu'à ce qu'il vienne s'installer en Italie, en 2010.

Ce n'est pas pour la dolce vita et la beauté des cyprès que Harnwell, comme Bannon, a fait de l'Italie un point d'ancrage. « J'ai choisi Rome, explique Benjamin, car au cours de mes batailles Pro Life au Parlement européen, l'Église n'était pas toujours en mesure de défendre ces positions sur la famille que partagent des millions de croyants citoyens de l'EU. Mon député était pourtant allié aux chrétiens-démocrates au sein du Parti populaire européen, or l'élément chrétien était absent à l'époque. La foi en Jésus-Christ avait été totalement abandonnée. » Le Dignitatis Humanae Institute, fondé en 2010 dans le bureau de Nirj Deva au Parlement européen, s'est exilé peu après à Rome. Il fallait un bureau plus vaste, et la proximité du Vatican leur semblait plus logique. Steve Bannon, de son côté, a lui aussi fait le chemin vers Rome. Il a depuis longtemps un faible pour la capitale italienne, où il avait déjà installé un bureau de Breitbart News, le site qu'il a fondé pour être « la plate-forme de l'extrême droite » et de l'anti-establishment, avant de s'occuper de la campagne de Trump en 2016. L'enclave du Vatican à Rome est aussi essentielle à ce catholique fervent, même s'il compte parmi les adversaires notoires du pape François, à ses yeux trop ouvert aux réfugiés et aux valeurs des démocraties libérales. C'est Benjamin Harnwell qui a présenté à Steve Bannon en 2014 le président du Dignitatis Humanae Institute, qui n'est autre que le traditionaliste cardinal américain Raymond Leo Burke, chef de file de l'aile conservatrice au Vatican. Mais au-delà de la Cité-État, l'Italie est un nouveau centre du monde : le pays phare, le pays temple, « l'épicentre de la révolte qui secoue toute l'Europe », comme me le dit Benjamin. Pour Steve et lui, le temps du populisme nationaliste mondial est venu et la popularité de la coalition antisystème, composée de la Ligue nationaliste de Matteo Salvini et du mouvement de gauche 5 Étoiles de Luigi Di Maio, est le signe de l'espoir. Le fait que deux partis populistes se retrouvent au pouvoir, non pas en coalition comme en Autriche ou au Danemark, mais ensemble et à la tête d'un des pays fondateurs de l'UE, qui plus est la troisième économie et la deuxième puissance industrielle de l'Europe, c'est une victoire de grande échelle. Selon la thèse de l'historien Marc Lazar sur le « laboratoire italien », l'Italie ouvre la voie. La Ligue de Matteo Salvini est en train de vampiriser le 5 Étoiles et d'imposer avec force son nationalisme populiste antieuropéen. Entre le pouvoir spirituel au Vatican et le pouvoir réel au palais Chigi, tous les chemins mènent à Rome. Steve Bannon l'a théorisé : le « nouveau centre de l'univers politique », c'est Rome. Le vrai laboratoire du national-populisme dont il rêve pour l'Europe, c'est l'Italie.

Dans un premier temps, Steve Bannon a pu franchir les portes de l'Europe grâce à l'entremise de son ami l'eurodéputé anglais Nigel Farage, ancien chef du parti nationaliste Ukip, et l'un des principaux artisans de la campagne pour le Brexit, si exemplaire en mensonges que Donald Trump s'en est inspiré pour la sienne et a fait de Farage un ami. Lequel Farage a présenté à Bannon un riche avocat d'affaires belge, Mischaël Modrikamen, fondateur d'une petite formation politique de « droite décomplexée » et extrémisante, nommée Parti populaire belge. Et c'est Modrikamen qui pose à Bruxelles la première pierre de ce qui est devenu en juillet 2018 The Movement, la fondation par laquelle Steve Bannon entend partir à l'assaut de l'Europe en fédérant les populistes de tous les pays. Puis il s'est rapproché de l'Italie. « Steve a absolument raison, approuve Benjamin. L'Italie est l'épicentre politique du monde. Le gouvernement a réussi une synthèse historique entre deux courants : la Ligue, nationaliste, dont personnellement je suis plus proche, et le mouvement 5 Étoiles, qui est un populisme plus à gauche. C'est une vraie transformation de la vie politique. Ça prouve qu'un gouvernement peut se débarrasser des élites, refléter les désirs du peuple et gouverner avec compétence. Les élites n'ont que mépris pour le peuple, elles s'enrichissent sur le dos de ceux qu'elles gouvernent. » En juin 2014, deux ans avant que Trump n'accède au pouvoir, Steve Bannon donnait son mémorable « discours du Vatican », une conférence à distance dans une salle située à quelques centaines de mètres de la place Saint-Pierre de Rome, dans laquelle il apparaissait sur écran géant, via Skype, devant une audience convaincue, proche du Dignitatis Humanae Institute. Benjamin Harnwell y était, bien sûr. « Le meilleur discours que j'aie entendu de toute ma vie, se rappelle-t-il, encore ébloui. Il y avait beaucoup de la campagne de Trump dedans. » Bannon y dispensait sa vision apocalyptique : la « guerre de civilisations » qui nous attendait, réveillée par les dérives du capitalisme mondialisé – libertarisme, sécularisme – mortifères pour l'Occident chrétien. Il appelait à unir les forces de résistance et à les liguer « contre cette nouvelle barbarie qui commence ». Benjamin Harnwell, emballé, l'invite à venir à Rome, cette fois en chair et en os, pour prêcher devant les Fratelli d'Italia, un petit parti souverainiste post-fasciste dirigé par la blonde Giorgia Meloni, à l'occasion de leur fête annuelle. En octobre 2018, l'estrade était dressée sur la ravissante île Tibérine, en plein cœur de Rome. « Quelques milliers de personnes étaient là pour l'écouter, la plupart plus jeunes que moi », note Benjamin en signe d'espoir pour l'avenir. Les journalistes présents ont plutôt fait état de quelques centaines.

Steve Bannon a surgi comme une rock star dans sa tenue habituelle en veste noire, pantalon noir, chemise noire ouverte sans cravate et cet air moyennement net qui lui avait valu de la part de Trump le surnom de « Sloppy Steve », « Steve le débraillé ». La présence du sulfureux Bannon a fait peur au président du Parlement européen Antonio Tajani, membre du parti Forza Italia de Silvio Berlusconi, qui a annulé au dernier moment sa venue sur l'île. Mais Matteo Salvini était là : pas question de rater une occasion de ralliement avec les europhobes Frères d'Italie à l'approche des élections européennes de mai 2019. Les panneaux affichés donnent le ton de la fête : « Europe contre Europe, Peuple contre élite, Souveraineté contre technocratie ». Ce n'était pas la première fois que Bannon venait en Italie pour encourager l'alliance de la Ligue et du 5 Étoiles, incarnation de la perfection nationale populiste. En septembre, il avait été reçu au ministère de l'intérieur par Matteo Salvini, qui a depuis annoncé son ralliement de la Ligue, le parti le plus puissant du pays, à The Movement. Sur l'île Tibérine, le grand timonier venu d'Amérique a nommé l'ennemi : le « parti de Davos », cette élite de la politique et de la finance qui profite de la mondialisation, favorise l'immigration, la perte de la souveraineté nationale, la destruction et le déclin de la tradition judéo-chrétienne et abandonne les classes populaires. Il a encouragé le « nativisme » comme rempart à l'immigration. Il a rappelé « tous ces éléments qui font partie d'une même chaîne : le Brexit, Trump, votre vote en mars 2018 (pour Salvini et M5S) ». Il a nommé l'avant-garde de la résistance qui s'annonce : « Trump, Farage, Salvini, Meloni, Marion Maréchal Le Pen. » Il a aussi fait acclamer Vladimir Poutine, lui aussi détesté par le « parti de Davos », lequel, si on ne se fédère pas pour l'arrêter, ne signifierait rien de moins que «la fin de l'espèce humaine». La salle l'applaudit chaleureusement.

«Steve est venu cet été ici, au monastère», me dit Benjamin Harnwell sur notre terrasse vide. Il compte s'impliquer davantage et «de manière plus régulière et plus officielle» dans le Dignitatis Humanae Institute, qu'il soutient depuis 2014. C'est Leo Burke, cardinal et président du conseil d'administration de l'institut, qui a annoncé à l'agence Reuters cette nouvelle qu'il trouvait réjouissante : le cardinal président se disait «impatient de travailler avec Harnwell et Bannon à la mise en œuvre de nombreux projets qui devraient contribuer de façon marquante à la défense de ce qu'on appelle la chrétienté». Entre Steve et Benjamin, c'est un échange de services continu pour servir la cause. «Je ne suis pas formellement impliqué dans The Movement, explique Benjamin. Nous formons une coalition informelle. Comme un convoi de bateaux qui avancent indépendamment mais ensemble et dans la même direction. Steve est actif tout le temps, surtout à Bruxelles où est son bureau principal.» Steve a demandé à Benjamin d'écrire dans Breitbart News et finance l'Institut. Benjamin fait profiter Steve de son expérience au Parlement de Bruxelles, l'introduit dans des cercles de l'extrême droite catholique romaine, le conseille sur les moyens de développer son Movement en vue des élections européennes de mai. «C'est un très grand projet», conclut-il, le regard plongé vers les montagnes et l'horizon.

Leur objectif : la prise du pouvoir au Parlement européen sur les démocrates libéraux de droite et de gauche. La stratégie : exploiter et alimenter la révolte du peuple contre les élites, de la province contre les grandes villes, des judéo-chrétiens contre les musulmans – mais pas des Blancs contre les étrangers : ils jurent ne pas être racistes, et l'anti-islamisme est tel qu'il l'emporte provisoirement sur l'antisémitisme. Autrement dit : appliquer en Europe la recette gagnante aux États-Unis, la même qui a fait exploser le Royaume-Uni avec le référendum sur le Brexit. Pour The Movement, Bannon navigue entre ses bureaux de Bruxelles et de Rome. De là, il sillonne l'Europe pour saluer les amis et préparer avec eux le grand soir : non seulement Matteo Salvini en Italie et son ami Nigel Farage au Royaume-Uni, mais aussi Viktor Orbán en Hongrie, le président Milos Zeman et le fils de son prédécesseur Vaclav Klaus en République tchèque, Alice Weidel en Allemagne – la présidente du groupe parlementaire AFD (extrême droite) au Bundestag – ou Marine Le Pen en France. La ferveur qu'il a observée au congrès du Front national où il a fait le cadeau d'un discours, ce 10 mars 2018, l'a d'ailleurs encouragé à poursuivre The Movement. Il s'y est senti conforté dans ses convictions : avant les Gilets jaunes mais après le référendum sur le Brexit et dans le prolongement de sa propre victoire auprès de Trump, il a déduit que d'un pays à l'autre, des États-Unis à l'Europe en passant par le Brésil de Jair Bolsonaro, les souffrances et les inquiétudes étaient les mêmes, les inégalités aussi creusées, l'immigration aussi redoutée, les élites et les médias aussi détestés, la démocratie parlementaire aussi contestée, l'Union européenne endossant à elle seule les causes et les symptômes du mal. La mondialisation a divisé, le capitalisme est fatigué, le rêve du dirigeant autoritaire à la tête d'un État-nation s'accompagne d'un ras-le-bol du libéralisme, du libertarisme, du multiculturalisme, des sociétés ouvertes nées de l'après-Mai 68, du « politiquement correct » ou de la « bien-pensance » des élites cosmopolites. « Les gens simples » privés de voix sont les mêmes qu'aux États-Unis. La révolution trumpienne est possible en Europe.

Dans le grand projet de Bannon, Benjamin Harnwell s'occupe du volet « éducation », selon la bonne vieille théorie gramscienne : l'évolution culturelle précède l'évolution politique. La victoire d'une politique, d'autant plus si elle promet une rupture avec le système existant, exige d'avoir préalablement préparé le terrain en remodelant le contexte idéologique. Or, se débarrasser d'une pensée dominante et la remplacer par une autre, quoi de plus facile à l'heure d'Internet et des réseaux sociaux, où les médias de référence n'ont plus le monopole de l'autorité intellectuelle et où l'on peut souffler sur les rumeurs et les infox comme sur un tas de braises ? C'est là que le Dignitatis Humanae Institute, au départ une petite structure inoffensive, prend tout son sens dans la stratégie – et les considérables moyens financiers – du sulfureux conseiller de la Maison-Blanche.

Sous l'impulsion de Steve Bannon, sous la présidence du cardinal Burke et sous la direction de Benjamin Harnwell, le monastère de Trisulti est sur le point d'héberger à la fois le Dignitatis Humanae Institute et une académie « pour les judéo-chrétiens de l'Occident », destinée à former les étudiants à la pensée conservatrice au sein de l'Église et à la politique populiste nationaliste. Car ce sera « une école pour populistes nationalistes » dit Harnwell, qui revendique ce mot. « On se concentre sur les disciplines comme l'histoire, l'économie, la philosophie, la théologie, dans une perspective populiste nationaliste – une perspective bannoniste, si je puis dire. » Il ajoute : « Steve dirige les programmes de l'académie et pourra faire lui-même quelques cours sur la politique et les nouveaux médias. » On y apprendra les *« facts »*, expression fétiche de l'ex-conseiller présidentiel américain. Critique des élites et promotion des valeurs traditionnelles et chrétiennes seront au cœur des sessions de cours intensifs. L'objectif est d'assurer la relève, de former les leaders ultra-conservateurs d'Europe de la prochaine génération, les futurs Salvini, les futurs Orbán, les futurs Kurz.

Benjamin n'a pas rencontré Marion Maréchal, ex-Maréchal-Le Pen, mais il a suivi avec attention l'école qu'elle a ouverte à Lyon en septembre 2018, l'ISSEP (Institut supérieur de sciences économiques et politiques) pour « cultiver, annonçait-elle, le terreau dans lequel tous les courants de la droite pourront se

retrouver et s'épanouir» auprès de la jeunesse conservatrice française. «Je n'ai pas de relations directes
avec Marion mais Steve la connaît et nos deux acadé-
mies partagent les mêmes inspirations. Nous serons
complémentaires», me dit Benjamin. Au congrès du
FN déjà cité, Steve n'a pas tari d'éloges sur la petite-
fille de Jean-Marie Le Pen et nièce de Marine. C'est
lui qui l'a invitée à Washington en février 2018 au
Conservative Political Action Conference, grand-messe
annuelle de la droite américaine et il a été ébloui par
son intervention. «Elle y a prononcé à mes yeux – sans
compter celui du président des États-Unis – le meilleur discours. C'était électrisant», a-t-il dit à la tribune
du congrès de Lille. «Elle n'est pas simplement une
étoile montante sur la droite de l'échiquier politique
en France, c'est l'une des personnes les plus impres-
sionnantes au monde! Je peux voir de grandes choses
dans son avenir», a-t-il poursuivi. Le lendemain, à
Washington, Steve et elle ont pris le temps de discuter
ensemble.

«Steve me dit beaucoup bien de Marion, poursuit
Benjamin. Il a la plus grande estime pour elle. Il dit
qu'elle est une rock star.» Officiellement en retrait
de la politique, absente du débat public, Marion
Maréchal n'a pas oublié la théorie de Gramsci et elle
œuvre en coulisse pour préparer le terrain politique,
avec les mêmes outils que Steve Bannon. Ce que
l'Américain a entrepris avec son site Breitbart News et
bientôt l'Académie de Trisulti, elle le fait en France
avec son école de Lyon et un magazine mensuel

sur papier glacé, *L'Incorrect*. L'ancienne députée du Vaucluse dément être pour quoi que ce soit dans la confection de ce magazine pourtant dédié à sa cause, des publicités pour son école aux thématiques qui lui sont chères, et dirigé par des proches ou anciens collaborateurs. La pensée qui s'y déploie est conservatrice, nationaliste, eurosceptique, portée par une nouvelle génération. Les bêtes noires sont les *usual suspects* communs à la droite et à l'extrême droite : la bien-pensance, le multiculturalisme, les excès du libéralisme et du capitalisme, « la menace urgente sociale, culturelle, migratoire ». La moyenne d'âge des lecteurs de *L'Incorrect* est de trente ans. Tiens, trente ans ! Décidément, c'est une manie. Trente ans : la génération née après la chute du mur de Berlin. À trois années près, l'âge du chancelier autrichien Sebastian Kurz. Et très précisément celui de Marion Maréchal, née le 10 décembre 1989.

L'Italie, pour elle, est le modèle à suivre. Comme Steve Bannon et contrairement à sa tante Marine, la jeune Le Pen ne veut pas entendre parler d'un rapprochement entre les souverainistes de droite et de gauche. En revanche, elle travaille méthodiquement à l'union des droites dures et extrêmes, des Républicains de Laurent Wauquiez au Rassemblement national de sa tante Marine : une grande réconciliation dont il ne serait pas étonnant, vu la manière dont une galaxie du même ordre est en train de se configurer en Europe, qu'elle s'impose bientôt comme la dirigeante naturelle. Marion Maréchal affiche une autre différence avec le Rassemblement National de sa tante Marine, qui la distingue aussi de Steve Bannon et de Benjamin Harnwell, lesquels se revendiquent l'un et l'autre «nationalistes et populistes»: elle ne veut pas du mot «populisme». Son projet des droites unies ne s'adresse pas qu'à la France des oubliés, mais aussi aux classes moyennes et à une partie de la bourgeoisie et des élites. Elle vise plus large; plutôt que le modèle Bannon, c'est l'exemple italien qui l'inspire, celui de Matteo Salvini qui a su flatter, à coups de *flat tax*, les PME du nord de l'Italie. Elle-même est très proche des cadres de la Ligue, et particulièrement de l'un d'entre eux, Vincenzo Sofo, avec qui elle a participé à une soirée de réflexion au titre éloquent: «Les invasions barbares, souveraineté et pouvoir». Quand un tabloïd a publié des photos de ce Milanais de trente-trois ans dans les bras de l'égérie de l'extrême droite française, sur une plage de Ligurie, la presse italienne s'est déchaînée. Beau brun barbu, proche de Salvini, Vincenzo Sofo est un des idéologues de la Ligue, tendance droite nationaliste dure. Il anime le site Il Talibano (Le Taliban), où le vice-Premier ministre puise une bonne part de son inspiration. Un trentenaire, lui aussi...

La brise froide souffle toujours sur la grande terrasse vide. Le magnétophone de Benjamin continue à tourner. Avec Steve Bannon dans la boucle, l'argent n'est pas un problème. C'est grâce à lui qu'il peut louer ce patrimoine de l'État pour lequel le gouvernement italien avait fait un appel d'offres, faute de moines,

et les touristes étant trop peu nombreux. Harnwell a
sauté sur l'occasion. «Nous n'avons pas de fonds ins-
titutionnels, ni de l'UE ni de l'Église catholique, dit-il
en me précisant que, contrairement à Steve, il n'a
jamais rencontré Salvini. Nous sommes financés par
des donations privées. Steve est l'un des bienfaiteurs.
En plus d'élaborer le cursus de formation, il recueille
des fonds pour l'institut, en Europe et aux États-Unis.»
On n'en est encore qu'au début. Les 200 premiers
étudiants doivent être accueillis à l'été 2019 dans un
campus temporaire à Rome, avant de tout déménager
dans le monastère, lorsque les locaux seront rénovés.

On remballe cahiers et magnétos, on remet les
deux chaises à l'intérieur et c'est parti pour la visite.
Une beauté. Les bâtiments, la grande bibliothèque,
le cloître sur le modèle de celui de Michel-Ange à
Rome. Les salles d'étude des moines seront les salles
de classe, on pourra accueillir trois cents étudiants,
m'explique Benjamin, enthousiaste. Il s'agenouille et
se signe chaque fois qu'on entre dans une chapelle.
Chaque fois qu'on en sort aussi. C'est-à-dire assez souvent, car j'ai compté dix chapelles, et on n'a pas tout
vu. Cela fait plus de deux heures qu'on parle et l'am-
biance s'est détendue entre nous. Il ne s'adresse maintenant à moi qu'en disant *you guys*, «vous autres»,
m'ayant classée dans le camp des irrécupérables, celui
des élites mondialistes bien-pensantes et inconscientes
des «menaces existentielles qui pèsent sur l'Occident
judéo-chrétien». Ces fameuses menaces que je ne sais
pas voir, «Steve en a identifié trois dans son discours

au Vatican», dit Ben, et il me les énumère avec les doigts de sa main pendant qu'on marche au pas de course d'une salle à l'autre du monastère : «1/ le sécularisme militant, 2/ l'islamisme djihadiste militant qui ne tolère pas l'existence des non-musulmans, 3/ une forme de capitalisme qui nous a détournés des valeurs humaines.» Il se permet d'en ajouter une quatrième : «le déclin démographique européen et l'immigration venue d'Afrique». Pour lui, tout remonte à la révolution sexuelle des années 1960, qui a aussi provoqué le mouvement environnementaliste moderne contre le changement climatique, et des obsessions malthusiennes qu'il juge désastreuses. Dans trente ans, s'inquiète-t-il, en se référant à un sondage Pew Research, selon lequel près de 400 millions d'Africains veulent émigrer en Europe ou en Amérique du Nord, «il y aura moins de Nigérians au Nigeria que de citoyens de l'Union européenne dans l'ensemble de l'UE, et ils sont de niveaux économiques, de cultures et de religions radicalement différents. L'assimilation d'une telle masse sera difficile, sinon impossible, alors que nos pays européens ont déjà des dettes publiques énormes et non viables. Et l'ONU parle du "droit humain" à migrer, et Juncker parle de "dispositif légal" et vous autres, les médias mainstream, vous ne voyez pas que tous les éléments d'une crise existentielle sont là, que la scène est posée. Comme l'observait le travailliste britannique Frank Field, on peut avoir soit un État providence universel, soit la libre circulation des personnes, mais pas les deux. S'il n'arrive en Europe qu'un pourcentage même infime des migrants que le pape, Juncker, Soros et vous autres voulez accueillir, je vous le dis, nous sommes vraiment finis.»

Ah, Soros, cet épouvantail… son nom traverse l'Europe comme le code de ralliement des nationalistes, de Budapest à la campagne romaine. Benjamin Harnwell est, lui, trop «judéo-chrétien» et antimusulman pour être en plus antisémite. Il préfère se concentrer sur les musulmans et les «francs-maçons». Si l'Union européenne n'est qu'une «entité d'intérêts économiques sans idéal et désincarnée», c'est parce qu'elle a refusé de reconnaître ses racines chrétiennes dans le préambule de la Constitution. Et si ce projet a échoué, c'est à cause des veto du Français Jacques Chirac et du Belge Guy Verhofstadt – dont il a décidé qu'ils étaient francs-maçons.

Une odeur de pâtes et de légumes émanant du réfectoire me pique les narines. J'y fais allusion de manière subtile, n'osant pas dire franchement que je meurs de faim et que j'ai eu ma dose de discussion avec lui, debout dans le froid. «Trop tôt encore», dit Benjamin en regardant sa montre. Au monastère, les heures des repas sont strictes. Pour le déjeuner, c'est 13 h 30 pile, pas avant. Il nous reste une bonne demi-heure que nous occupons à parler du Brexit, sujet qui me tient à cœur autant qu'à lui, quoique dans une direction opposée. Le copain de Farage et de Bannon veut naturellement se débarrasser au plus vite de «la dictature de Bruxelles». Ces années passées à négocier l'accord de sortie depuis le référendum l'agacent au plus haut point, dans la lignée des Brexiters durs qui veulent en finir avec les normes sociales, environnementales, alimentaires, techniques, et favoriser la croissance et les investissements à coups de dumping social et fiscal et d'une flexibilité généralisée.

– Je ne vois pas le problème, dit Ben. « *Out means out* » : on a voté pour sortir, donc on sort, un point c'est tout. Pas besoin d'une négociation pour le faire. Si on avait un gouvernement sérieux, ce serait déjà fait : on sort. Si on réduit toute la charge fiscale au niveau d'un Singapour ou d'un Hong Kong, toutes les liquidités de l'UE seront aspirées par le Royaume-Uni en vingt-quatre heures. Et vous autres vous serez cuits. « *And you guys, there would be only tumbleweeds blowing accross the floors of your stock markets !* » – « Et à vous autres, il ne vous restera que des mauvaises herbes parsemées sur le sol de vos marchés boursiers ! »

– Et l'État social ? lui demandé-je. Que deviennent les pauvres dans votre Grande-Bretagne singapourienne ?

– Steve n'est pas idéologiquement contre l'État, si c'est pour offrir une sécurité aux plus vulnérables. Sur ce point, je suis plus doctrinaire et plus libéral que lui. Une chose est d'assurer un minimum de sécurité, une autre de procéder à la redistribution des richesses. Je suis totalement contre la redistribution socialiste des richesses.

– Mais vous êtes chrétien, non ? Que faites-vous des gens qui ne s'en sortent pas ? Comment feront les classes populaires sans protections sociales ?

– Je ne réfléchis pas en termes de classes sociales. Le pays sera plus riche quand il sera débarrassé des réglementations inutiles. Je suis contre les gens qui prennent l'argent des autres en leur disant comment vivre. Mais Steve n'est pas d'accord avec moi sur ce point.

– Ce n'est pas rien comme divergence. Mais je ne comprends pas, où est votre charité chrétienne?

– Ce n'est pas un manque de charité. C'est comme l'accueil des migrants : la question n'est pas de les accueillir, mais comment on fait pour le financer. L'ONU, l'UE, les ONG parlent, le pape parle, et c'est toujours «Nous devons les accueillir»... Parole, parole... (il le prononce en italien avec un mouvement de main pour dire «Cause toujours»). *«You guys»* des médias mainstream, vous parlez beaucoup aussi. Mais qui paye? Le contribuable, qui est déjà surchargé!

Un coup d'œil à sa montre : c'est l'heure, enfin. En nous dirigeant vers le réfectoire, Benjamin me montre la geôle jadis destinée aux moines désobéissants qui servira désormais, me dit-il, «aux journalistes mondialistes qui comme vous contribuent au déclin de l'Occident». Il rit. Je ris aussi, histoire de faire comme si l'idée de nous mettre en prison était farfelue et inenvisageable. On fait un selfie devant les grilles de la geôle, Benjamin et moi.

La table est mise dans le grand réfectoire vide à côté de la cuisine. Le chef, qui travaille là depuis quarante-cinq ans et ne se sépare pas de sa casquette de baseball sur la tête, nous a préparé une pasta. Il y a aussi le jardinier du monastère et un employé. Ils sont une dizaine à travailler là, même depuis que les moines sont partis. Benjamin met la table et va chercher le vin, contenu dans un gros bidon en plastique. Je m'assieds un peu trop tôt, car Benjamin me rappelle à l'ordre : tous les quatre sont debout et commencent à réciter leur prière. Le jardinier habite Collepardo, la petite ville en contrebas, huit cents habitants. « C'est tranquille, il n'y a pas de migrants », dit-il. « À Fiuggi, tous les hôtels ont été réquisitionnés pour les migrants, payés par l'État », ajoute l'employé. Benjamin acquiesce en me proposant un verre de digestif à la gentiane. Je décline l'offre, lui l'avale d'un trait et conclut : « Vous n'êtes pas faite pour vivre en Angleterre. »

La grande union populiste nationaliste aura-t-elle lieu ? Je me souviens du président tchèque Vaclav Klaus en 2009, l'année où son pays assurait la présidence tournante de l'Union européenne. Celui qui avait succédé à l'héroïque Vaclav Havel détestait l'Union européenne, à en avoir des boutons – même s'il n'a jamais envisagé, hier comme aujourd'hui, que la République tchèque cesse d'en faire partie. Daniel Cohn-Bendit et quelques autres eurodéputés étaient allés lui rendre visite au château de Prague. Ils s'étaient assis devant son bureau et Dany, au tout début de l'entretien, avait posé devant lui, sur la table, un drapeau européen miniature. Le Président n'avait rien osé dire, mais il piaffait comme un taureau devant un chiffon rouge. Dany jouait avec le drapeau au cours de la conversation. Il le prenait, le reposait. Vaclav Klaus était au bord de l'explosion. On s'en amusait plutôt à l'époque, tant cela paraissait fou. Exprimer une telle europhobie tout en voulant rester dans l'UE, de la part d'un dirigeant, passait pour du dérangement mental, et le Président tchèque était une anomalie dans le paysage. Les choses ont changé. Des Vaclav Klaus se sont multipliés à la tête des États ou des gouvernements de toute l'Europe, en Hongrie, en Pologne, en Autriche, en Italie, en République tchèque. Le parti d'extrême droite allemande AfD a des députés au Bundestag pour la première fois depuis la Seconde Guerre mondiale, un autre, Vox, est entré au Parlement andalou, les Brexiters ont pris les commandes en Grande-Bretagne, le populisme d'extrême droite et d'extrême gauche s'est emparé du mouvement compliqué des Gilets jaunes en France, sans compter l'Amérique de Trump et le Brésil de Bolsonaro. À l'instar de Vaclav Klaus, aucun de ces populistes ne souhaite quitter l'Union européenne une fois qu'ils ont accédé au pouvoir, à l'exception des Britanniques qui pataugent. Mais ils rêvent de la détruire. Une galaxie de forces disparates se forme peu à peu, et Steve Bannon l'a compris : sa stratégie, celle qui a élu Trump, peut s'étendre à l'Europe. Il se rend dans toutes les capitales, d'un leader nationaliste à l'autre, pour soutenir et financer ceux qui ont le pouvoir comme ceux qui ne l'ont pas encore. Il veut être le Soros des populistes, le double inversé du patron de l'Open Society. Les élections sont « l'occasion pour les populistes de prendre la main et bloquer l'agenda des forces traditionnelles » a-t-il déclaré au *New York Times*. Il a qualifié les Gilets jaunes en France d'« inspiration pour le monde entier ». Ce qu'il vise à court terme, c'est la prise du pouvoir au Parlement européen.

L'Américain sulfureux ne suscite pas que de l'enthousiasme. Même Marion Maréchal, « l'étoile montante » qui ne dédaigne pas son soutien privé, a refusé qu'il soit présent lors de l'inauguration de son école à Lyon, officiellement pour ne pas en faire un moment politique. Sa venue au congrès du Rassemblement national a été jugée par certains contre-productive au moment où le parti travaille à sa dédiabolisation. Matteo Salvini, prêt à travailler avec Bannon pour « sauver l'Europe », est réticent à se montrer en public avec lui, quand une partie des électeurs de la coalition entre la Ligue et le mouvement 5 Étoiles voient dans les États-Unis l'incarnation du capitalisme impérialiste. Pourquoi laisserait-on un Américain se mêler des affaires européennes ? Et que faire de l'alliance déjà amorcée avec Vladimir Poutine ? Il ne faudrait pas risquer de vexer le très susceptible président russe, déjà bien engagé dans l'entreprise de destruction de l'Union européenne et qui soigne ses relations privilégiées avec les souverainistes européens. D'un pays à l'autre et même à l'intérieur des partis, on se méfie du *spin doctor* de Trump. Viktor Orbán, flatté que Bannon le qualifie de « héros » dans son combat contre l'immigration, se verrait mieux lui-même à la tête d'un mouvement nationaliste paneuropéen, et il a souhaité à l'Américain « un grand succès dans cette entreprise », sans trop s'engager. Idem pour le FPÖ, le puissant parti d'extrême droite autrichien, proche du Fidesz hongrois et de la CSU bavaroise, et qui gouverne l'Autriche avec les conservateurs du chancelier Sebastian Kurz : il a prudemment promis des « coopérations ponctuelles » mais refusé de collaborer durablement avec l'Américain. Pour les ultraconservateurs polonais, sa proximité avec la Russie est un repoussoir bien plus fort que sa défense fervente de l'Occident chrétien n'est un attrait. Les Démocrates de Suède, le parti d'extrême droite suédois, ont écarté toute association, ainsi que leurs homologues danois et finlandais. Quant à l'AfD allemande, elle n'a pas trouvé de terrain d'entente sur le sujet entre les deux coprésidents du groupe au Bundestag, Alice Weidel et Alexander Gauland : Alice est plutôt pour Bannon, Gauland plutôt contre, sur le thème : « Nous ne sommes pas en Amérique. » D'autant plus que Steve Bannon a accumulé les gaffes. Lors d'un discours à Prague, il a fustigé les pays qui « par l'importation de main-d'œuvre bon marché, pratiquent une concurrence déloyale », ce qui, pas de chance, est précisément le cas des Tchèques. À Budapest, il s'en est pris à la Chine et à l'Iran qui, pas de chance, sont des alliés de Viktor Orbán.

Deuxième problème : non seulement Bannon est clivant, mais la galaxie qu'il veut entraîner est, elle aussi, clivée. Comment fédérer des partis et des dirigeants aussi disparates que le sont ces nouveaux populistes européens ? Certes, sa puissance de frappe potentielle séduit : il a une victoire présidentielle à son actif, et le fait qu'il ait siégé dans le conseil d'administration de Cambridge Analytica, l'entreprise qui avait utilisé les données de Facebook en faveur de Trump témoigne de son intelligence efficacement maléfique des réseaux sociaux pendant une campagne électorale. Son plaidoyer pour l'Occident national-chrétien séduit également, sa culture et son art des grandes simplifications historiques alimentées de complotisme aussi. Mais le dénominateur commun s'arrête là. Quel rapport entre la défense de l'État social par Marine Le Pen, les positions néolibérales de Matteo Salvini ou Marion Maréchal et l'europhobie ultralibérale d'un Vaclav Klaus, d'un Benjamin Harnwell ou des leaders du Brexit – eux-mêmes incapables de se mettre d'accord sur la question ?

L'alliance européenne des populistes, parfaite sur le papier, est bloquée par des incompatibilités en tout genre. Sur l'immigration : si tous les populistes ont en commun la hantise de l'islam et des migrants, ils ne s'entendent pas sur la politique à mener. l'Italie souhaite une répartition en Europe, la Hongrie ou la Pologne ne veulent pas entendre parler des quotas. Et Marine Le Pen s'associe bizarrement très peu à Matteo Salvini contre Emmanuel Macron, s'agissant du contrôle de la frontière franco-italienne à Vintimille. Sur l'économie : l'Autriche et la Pologne, qui ont fait des efforts pour réduire dette et déficits et rester dans les cordes du déficit budgétaire autorisé par le traité de Maastricht, voient d'un mauvais œil le laxisme de leur voisine italienne autant que les provocations de Salvini à l'égard de la Banque centrale européenne. Sur la famille : Matteo Salvini, qui ne remet pas en question le contrat d'union civile instauré par son prédécesseur social-démocrate Matteo Renzi, reste plus proche de Marine Le Pen, qui n'a jamais soutenu officiellement la Manif pour tous, que de Marion Maréchal, aux positions plus traditionnelles. Sur la religion : quel rapport entre les ultraconservateurs polonais qui ne plaisantent pas avec l'identité chrétienne, et un Salvini paillard et tweetard, deux fois marié, deux fois divorcé, capable d'insulter le pape François et les évêques accueillant les immigrés, et beaucoup plus catholique par ses mots que dans la pratique de sa vie privée ? Et enfin, sur la stratégie au Parlement européen : le Fidesz de Viktor Orbán a tenu jusqu'ici à jouer de son influence à l'intérieur du grand groupe conservateur, le PPE (tout en le provoquant sans cesse). La Ligue de Matteo Salvini, elle, a toujours refusé d'y appartenir et cherche à le faire exploser, tandis que le PiS de Kaczyski est allié avec le Front national de Marine Le Pen et que les brexiters britanniques comme Nigel Farage ont siégé jusqu'au Brexit dans un groupe à part. Et cela naturellement sans compter l'essentiel, le point de départ basique de la politique : la sempiternelle guerre des ego. Salvini veut « créer une ligue des ligues européennes » dont il serait naturellement le grand chef, mais Orbán a théorisé la démocratie illibérale, dont il se considère bien évidemment comme le grand chef. Autant dire qu'ils n'ont pas envie d'accueillir un cheffaillon de plus, comme Bannon. Bref, ça coince aux entournures.

Ensemble ou séparément, les nationalistes-populistes arrivent au pouvoir les uns après les autres. Depuis le référendum britannique de 2016 sur le Brexit, c'est une véritable épidémie : Donald Trump élu en novembre 2016, l'extrême droite allemande arrivant au Bundestag en septembre 2017, Sebastian Kurz élu chancelier d'Autriche en octobre, puis, en octobre 2017 et janvier 2018, les Tchèques Andrej Babis et Milos Zeman respectivement Premier ministre et président de la République, puis encore Matteo Salvini et Luigi Di Maio en mars 2018, Viktor Orbán réélu en avril, le Brésilien Jair Bolsonaro au Brésil en octobre, l'apparition d'un parti d'extrême droite Vox au Parlement andalou (du jamais-vu depuis la dictature de Franco) en décembre 2018... Est-ce une aberration passagère ou le début d'une nouvelle ère ? Et combien de temps cela durera-t-il ? Trente ans. C'est du moins le pronostic d'un journaliste du *Financial Times*, Gideon Rachman, dans un article de février 2019, pour évoquer l'« ère Trump ». Ce chiffre serait-il donc maudit ? Trente ans, c'est le temps d'une génération, d'un cycle économique et politique. Après les trois décennies de forte croissance économique de l'après-guerre entre 1945 et 1975, connues en France sous le nom des Trente Glorieuses, un nouveau cycle de trente ans apparaît, celui de l'ère néolibérale, qui commence par l'élection de Margaret Thatcher au Royaume-Uni en 1979, de Ronald Reagan aux États-Unis en 1980, mais aussi de Deng Xiaoping en 1978, qui ouvrait la Chine au marché. En 2008, la crise financière fait tout exploser. On ne le sait pas encore. Comme dans les tsunamis, il y a une deuxième vague : cette autre trentaine commencée à la fin de la chute du Mur et qui déferle maintenant, l'épidémie nationale-populiste d'aujourd'hui. Trente ans à attendre ? Une génération, un cycle ? *For the times, they are a changin'*.

6

Les frères ennemis de Gdánsk

Il faisait terriblement chaud. Des bancs avaient été sortis à l'extérieur devant la chapelle du cimetière de Gdánsk. Une centaine de personnes étaient là, silencieuses. Ce 31 août 2016, deux frères enterraient leur mère et à l'occasion de ces funérailles nationales, la déchirure de la Pologne tout entière s'était déplacée dans la chapelle. Deux sociétés. Deux camps ennemis. Deux mondes étanches qui ne se parlent pas. Assis côte à côte, au premier rang, Jarek et Jacek Kurski. Les deux visages de l'élite médiatique polonaise. Jarek, de son vrai nom Jaroslaw, est le directeur de la rédaction du journal le plus influent de la société libérale polonaise : le prestigieux quotidien polonais *Gazeta Wyborcza* fondé en 1989 par Adam Michnik, en soutien aux candidats de la coalition Solidarnosc, lors des premières élections libres organisées en Pologne. Jacek est le stratège de la Pologne illibérale, le président de Telewizja Polska, la télévision publique qu'il a contribué à transformer en organe de propagande au service de l'idéologie nationaliste et conservatrice du Parti Droit et Justice (PiS), dirigé par Jaroslaw Kaczynski. Jarek vs Jacek : l'intellectuel de l'opposition et le stratège de la communication du pouvoir. Le libéral européen et le *spin doctor* catholique nationaliste. De part et d'autre des deux frères, les deux camps. Chacun le sien. À la gauche de Jarek, la galaxie intellectuelle et politique de *Gazeta Wyborcza*, d'Adam Michnik à Seweryn Blumstajn, en passant par Lech Walesa, l'ancien meneur de Solidarnosc devenu président de la Pologne (1990-1995). Les amis du célèbre intellectuel dissident et ancien député européen Bronislaw Geremek, mort dans un accident de voiture en 2008, et ceux de l'ancien président libéral Donald Tusk. Le Comité de défense de la démocratie (KOD) créé en 2015 quand les nationalistes ont pris le pouvoir. À la droite de Jacek, la galaxie opposée : le gratin du pouvoir en place presque au complet. Jaroslaw Kaczynski, l'homme le plus puissant de la Pologne. Des présidents de région, des ministres, des militaires, des évêques, des vétérans des chantiers navals, des journalistes sympathisants du PiS. Le président de la République Andrzej Duda avait écrit une lettre dont la lecture fut faite au cimetière, rappelant que son prédécesseur, le défunt Président (et frère du leader du PiS) Lech Kaczynski, avait décoré Anna Kurska de la prestigieuse Croix de commandeur de l'Ordre de la renaissance polonaise. La mère de Jarek et Jacek Kurski, ancienne magistrate, ancienne militante de

Solidarnosc, avait rejoint le PiS, au nom duquel elle avait été élue sénatrice. Pendant la messe donnée par Mgr Glodz, l'archévêque de Gdansk sympathisant de la radio fondamentaliste Radio Maria, les deux frères ont fait l'effort de se donner l'accolade mais les ennemis de chaque camp ne se sont pas serré la main en signe de paix, comme le veut l'usage chrétien. Une foule réduite s'est ensuite dirigée vers le cimetière en procession, derrière l'orchestre qui jouait la *Marche funèbre*. Adam Michnik portait à la boutonnière le petit badge arborant le mot « *Konstytucja* », l'emblème de l'opposition. La marine nationale a tiré la salve.

Devant la tombe d'Anna, chacun y est allé de son discours. Le vice-président du Sénat, un essayiste ami des deux frères, un avocat représentant la corporation des juristes. Jaroslaw Kaczynski en personne. Et les deux frères. Jacek a habilement évité les sujets qui fâchent. « Elle a déploré la division survenue en Pologne », a commencé le patron de la télévision d'État, avant d'ajouter : « Mais je serais malhonnête et je ne pourrais pas la regarder dans les yeux si je ne vous disais pas que face à cette division de la Pologne, elle en a cependant choisi une. » Sur la nature de cette division, il a préféré laisser planer le flou, sous-entendant que le combat qui fut celui de sa mère pour la Pologne qu'elle aimait, « la Pologne de Solidarnosc », n'avait naturellement qu'une issue logique possible : son engagement aux côtés de Lech Kaczynski. Le message subliminal n'a échappé à personne, qui signifiait : « Notre mère a choisi une

Pologne, et c'est la mienne. » Le discours de Jarek était plus douloureux. Plus nuancé, au cœur de cette blessure familiale si intimement confondue dans la blessure polonaise. Au bord de la tombe, Jarek Kurski a lu son texte sans ciller : « Elle a aimé la Pologne. Elle a aimé ses fils. Elle représentait les deux côtés de la guerre intérieure qui est menée depuis deux ans dans le pays et qui s'est encore renforcée. Elle a été dans le camp de Solidarnosc. Elle voulait faire une règle de ce qui est en Pologne l'exception : l'unité des premiers jours de l'insurrection de Varsovie, et l'unité devant le deuxième portail des chantiers navals de Gdansk. (…) Elle a accompagné Jacek dans la politique, guidée par son amour de mère et jamais avec calcul. Elle me demandait souvent des nouvelles d'Adam Michnik et de *Gazeta Wyborcza*. Elle essayait de comprendre au-delà de ce que laissent apparaître ces camps divisés. Dans son espoir de réconcilier les deux Pologne, elle voulait réconcilier ses deux fils. Repose, maman, dans la tombe silencieuse, et rêve de la Pologne. »

Deux ans plus tard, en juillet 2018, je les observais dans le jardin qui bavardaient, mangeaient, buvaient, chantaient, fumaient, rigolaient, en attendant que la nuit tombe. Des deux camps de la chapelle du cimetière, seul le libéral était présent. Ils étaient une vingtaine d'amis de longue date venus fêter les cinquante-cinq ans de Jarek, Un bon nombre d'entre eux avaient combattu la dictature soviétique, milité au syndicat Solidarnosc, été compagnons de route de

Walesa ou amis de l'ancien Premier ministre libéral Donald Tusk, devenu président du Conseil de l'Union européenne. Tous avaient fêté la libération de la Pologne, la chute du mur de Berlin, le retour du pays en Europe après un demi-siècle de dictature. Tous étaient accablés par sa dérive illibérale, la régression démocratique que leur inflige le pouvoir du PiS de Jaroslaw Kaczynski. Dans la maison des Kurski recluse en bordure de la forêt, à une vingtaine de kilomètres de Varsovie, on arborait le badge « *Konstytucja* », signe de ralliement des opposants au pouvoir qui a violé la Constitution en refusant d'assermenter des juges élus par le Parlement. La bande d'amis se réconfortait en pensant aux élections municipales à venir, qui devaient mener à une large victoire de l'opposition libérale dans les grandes villes, dont la capitale. Ils ignoraient que la folie haineuse qui imprègne lentement la Pologne conduirait l'année suivante à l'assassinat de leur ami Pawel Adamowicz, maire de Gdansk. Un illuminé lui a planté un couteau dans le coeur en accusant la Plateforme civique, le parti libéral de l'opposition qui était le sien et celui de Donald Tusk, ennemi public numéro un du pouvoir en place. Pawel Adamowicz, comme eux, défendait les valeurs européennes, la social-démocratie, les droits des minorités, le respect des contre-pouvoirs et de l'État de droit. Ils n'imaginaient pas cet assassinat mais ils le pressentaient. Ils savaient à quel point le contexte rhétorique ouvert par les dirigeants libère les passions obscures. La jeune députée travailliste britannique assassinée, Jo

Cox, en avait fait les frais, victime du contexte haineux et xénophobe qui régnait pendant la campagne du référendum sur le Brexit. «L'ensauvagement des mots précède et prépare toujours l'ensauvagement des actes», prévient l'historienne Mona Ozouf. Mais les idées noires n'étaient pas invitées dans le jardin des Kurski. On était là pour faire la fête. Avant de passer à l'heure de la guitare et des chansons populaires, le pittoresque Adam Michnik a fait rire tout le monde comme d'habitude, lui que le whisky et le tabac n'ont jamais réussi à abattre, en prononçant son petit discours d'anniversaire. En rappelant le moment où il a embauché Jarek à *Gazeta* en 1991, le vieux dissident a évoqué sur le ton de la blague légère le fantôme d'un absent, cet autre camarade de Solidarnosc qui depuis s'est perdu en route : Jacek Kurski. Ils sont désormais l'un et l'autre à la tête de médias influents et en guerre. La vodka contribuait à la bonne humeur. Jarek riait aussi, un peu en retrait, timide, trop modeste pour affronter les compliments. Comme souvent, une tristesse passait sur son visage enfantin.

Jarek et Jacek. *Gazeta Wyborcza* et Telewizia Polska. Deux doubles inversés. Deux frères ennemis. Le pile et le face de la Pologne d'aujourd'hui. Tous deux nés au milieu des années 1960 à Gdansk, cette ville si belle, si libre et si spéciale, riche du commerce de la Baltique, ballottée par l'histoire entre la Prusse, la Russie, la France, l'Allemagne, la Pologne ou la tutelle de la Société des Nations. Cet ancien port hanséatique aux deux noms, Gdansk et Dantzig, définitivement rattaché à la Pologne depuis la Seconde Guerre mondiale. Là où le syndicat Solidarnosc, mené par un ouvrier électricien des chantiers navals, a réussi à transformer une révolte contre la vie chère en une grève générale, jusqu'à la chute du communisme. Là où Jarek et Jacek ont grandi ensemble, là où leurs routes se sont séparées. Là où je retrouve Jarek Kurski, quelques jours après l'anniversaire dans la forêt, à la cafétéria du musée Solidarnosc qui en retrace toute l'histoire. Et où lui me raconte la sienne. Sa mère juge, son père ingénieur, cette ville cosmopolite où, à sa naissance en 1963, la langue allemande l'emportait encore sur la polonaise, cette ville compliquée comme un personnage romanesque, repaire des intrigues et des coups montés de la dissidence, du temps où la grisaille lugubre recouvrait les façades colorées. « Il y a une énigme Gdansk, me dit-il. On a grandi ici dans une atmosphère particulière. Il y avait une contradiction entre les slogans qu'on nous répétait et la réalité de ce qu'on vivait. À l'école, on nous enseignait que l'identité de Gdansk était polonaise, alors que les premiers mots qu'on apprenait à la maison étaient allemands. Sur les robinets des radiateurs, il était écrit "*kalt*" et "*warm*" (froid et chaud), en allemand. » Ce mélange cosmopolite plaisait à Jarek, alors que sa mère, elle, le rejetait. Elle est née en 1929 à Lvov, au sud-est de la Pologne (aujourd'hui en Ukraine), puis est partie juste à l'âge de dix ans à la campagne pour

97

s'abriter de l'Armée rouge. En 1944, à quinze ans, elle se trouve à Varsovie et participe à l'insurrection comme infirmière. Elle construit sa vie d'adulte dans la Pologne de l'après-guerre, un pays détruit, ruiné, sans espoir, abandonné au régime communiste après le partage dit de Yalta. Elle rêve de liberté, aime la mer et rencontre son mari en faisant de la voile sur la Baltique. « On a grandi dans la mythologie de cette insurrection ratée et de la "Polonia dolorosa", raconte Jarek. Il y avait un double fond nostalgique et patriotique chez ma mère. La région de son enfance était devenue pour elle un paradis perdu, et l'insurrection de Varsovie, où elle avait vu mourir beaucoup d'amis, avait ancré chez elle comme chez beaucoup de Polonais l'idée messianique que la Pologne est un Christ qui a souffert du péché de toutes les nations. Personnellement, je déteste ça. Mais on a grandi dans la mythologie de cette insurrection chevaleresque et ratée, dans ce romantisme polonais, ce patriotisme polono-polonais suicidaire, nostalgique des causes perdues. »

De l'enfance à l'âge adulte, Jarek Kurski doit faire le tri dans les mensonges, nationaux et familiaux. Ceux liés au nationalisme polonais, ceux liés au communisme soviétique. Ceux qu'on leur sert à l'école sur l'identité polonaise de Gdansk. Ceux sur le massacre de vingt-deux mille officiers polonais à Katyn, dont l'URSS veut rendre responsable l'Allemagne nazie, avant d'avouer sa responsabilité en 1990. Il y a aussi, plus complexes à démêler, les secrets de sa mère, ses origines juives qu'elle dissimule même à ses enfants, par peur d'être stigmatisée, ou par complexe. Jarek ne souhaite pas s'étendre sur le sujet. «Un jour, me glisse-t-il, j'ai eu une discussion avec elle sur l'antisémitisme polonais. Elle m'a dit: "Tu ne sais pas à quel point l'antisémitisme polonais est profond et fort." C'était pour qu'on n'en parle plus, que je comprenne qu'elle ne souhaitait pas remuer son histoire familiale compliquée. Le paradoxe est qu'elle a rejoint les gens du PiS, qui sont – pour beaucoup – des antisémites. Elle avait besoin de se sentir en sécurité. Elle s'est rangée du côté des plus forts, des "patriotes". Elle utilisait beaucoup ce mot: "patriotique".»

Quand Solidarnosc est créé en 1980, Jarek a dix-sept ans et Jacek, quatorze. Leur mère a insufflé à ses fils l'esprit contestataire, elle, la révoltée romantique. Elle les pousse à lire les publications en samizdat, à se rendre dans les cercles dissidents, à défiler dans les manifestations. Jarek a été impressionné par les émeutes de 1970, quand le Parti communiste a décidé d'augmenter le prix de la viande avant Noël. Les chantiers navals de Gdansk étaient déjà un foyer de rébellion. Les ouvriers avaient incendié des comités de parti, l'armée avait tiré dans la foule. À Gdynia, le mouvement de protestation s'était terminé dans un bain de sang. «Pendant le couvre-feu, mon père m'a ramené de chez ma grand-mère en me tirant sur une luge. Le régime était cruel. Les cadavres des ouvriers étaient enterrés de façon indigne dans le cimetière de Gdansk», se souvient Jarek. À quinze ans, il commence à fréquenter les milieux d'opposition, organise le boycott des élections législatives de 1980. Le 14 août 1980, dix-sept mille ouvriers des chantiers navals se mettent en grève et donnent naissance au syndicat Solidarnosc, dont le cofondateur est un ouvrier électricien qui savait à peine écrire et qui deviendra une star mondiale : Lech Walesa.

Un autre événement majeur a précédé son apparition sur le devant de la scène, deux ans plus tôt, en août 1978 : l'élection à Rome d'un pape polonais, Jean-Paul II. « L'ordre règne à Varsovie » quand le général Jaruzelski décrète l'état de siège, en décembre 1981, et la résistance s'organise d'autant plus. La révolte sociale devient un mouvement politique, soutenu non seulement par les intellectuels dissidents, mais par l'Église catholique romaine. Anna Kurska est très engagée dans le mouvement. Elle revit l'insurrection de Varsovie. Jarek milite dans un mouvement lycéen porté sur la lecture clandestine de livres d'histoire, naturellement interdit. Jacek, de trois ans son cadet, est plus porté sur la radicalité des actions que sur la bataille intellectuelle. Les deux frères écrivent des slogans sur les murs, distribuent des tracts, participent à la publication clandestine du lycée, puis au mensuel *Solidarność*. « Chaque jour, pendant la grève, dit Jarek, je prenais mon vélo, j'emportais un bidon de thé et des tartines, j'achetais des cigarettes avec l'argent des parents et j'allais donner tout ça aux ouvriers en grève. J'ai vu Walesa la première fois quand il a annoncé à la foule la signature des négociations, sous les applaudissements. Je ne me doutais pas à quel point il serait important dans ma vie.» En mars 1983, il est arrêté par la police pendant la loi martiale et passe trois mois en prison, enfermé avec des criminels récidivistes qui l'ont laissé tranquille. «Il y avait un code informel parmi les criminels : les prisonniers politiques étaient intouchables.» En sortant de la cafétéria, nous sommes passés en voiture devant le grand bâtiment de béton qui n'a pas changé. «C'était au deuxième étage, la cellule 7», dit-il sans manifester d'émotion particulière. «C'est tout ce que ça te fait, de passer devant ta prison?» m'étonné-je. «Ça me procure de la nostalgie. J'étais jeune, stupide et fier d'être en prison.»

C'est après 1989 que les chemins des deux frères ont bifurqué. La plupart des conservateurs au pouvoir en Pologne, comme les libéraux de l'opposition, sont issus du mouvement Solidarnosc. Du temps du régime communiste, ils étaient soudés par un ennemi commun. Les divergences politiques sont apparues ensuite. «J'étais attaché aux valeurs patriotiques et romantiques de ma mère, explique Jarek. L'essentiel était l'anticommunisme, peu importait qu'on soit conservateur, de gauche, de droite. En rencontrant des gens, en lisant, j'ai affiné ma pensée. Le paradigme polono-patriotique romantique est pauvre et n'explique pas beaucoup de choses. L'histoire de la Pologne est plus riche que ça. Je me suis éloigné des idées conservatrices pour une conception de la démocratie libérale, proeuropéenne. Ce qui a été la pensée dominante en 1989, mais qui ne l'est plus aujourd'hui. » Entre Jarek et Jarek, la brouille commence à ce moment-là, autour de Lech Walesa.

En octobre 1989, Jarek Kurski devient porte-parole du leader de Solidarnosc, Lech Walesa, qui peine à trouver sa place après l'élection du premier gouvernement de la Pologne non communiste, dans un paysage politique bouleversé à grande vitesse alors que sont conduites les négociations qui mèneront à l'accord de la Table ronde. Lech Kaczynski, l'un de ses proches conseillers, presse le patron d'accélérer la décommunisation, d'en finir avec l'accord de la table ronde destiné à adoucir la transition avec les communistes de l'ancien régime. Lech Walesa, qui vise la présidence de la République, est prêt à tout. Son ascension extraordinaire lui est montée à la tête. D'ouvrier électricien, il est passé star internationale, interviewé dans le *New York Times*, le *Washington Post*, CNN... « Tout le monde le prenait pour un personnage divin et il a fini par y croire. Il a été saisi par le vertige. Le mouvement démocratique anticommuniste, dont les Polonais étaient affamés, a commencé à abuser de son pouvoir et à appliquer des méthodes non démocratiques », analyse Jarek Kurski, qui démissionne en juillet 1990. En octobre, Lech Walesa est élu président de la République. Dans la foulée de l'élection, Jarek est repéré par Adam Michnik, rejoint la rédaction de *Gazeta*. Il publie aussi un livre sur Walesa et la guerre des chefs à laquelle il a assisté depuis la fin des années 1980. « Ce que j'ai vu des coulisses de la politique, des intrigues, des coups bas, des calomnies, des divisions créés dans Solidarnosc pour servir les ambitions personnelles, m'a dégoûté. Kaczynski était un maître en la matière. Tous ceux qui s'opposaient à lui étaient accusés de "complot", son mot favori.» Son livre est un best-seller. Trois cent mille exemplaires vendus, qui pendant un certain temps n'arrangent pas ses relations avec Walesa. Ni avec son frère Jacek. Celui-ci reste un fidèle admirateur de Lech Walesa et des frères Kaczynski, dont la stratégie et le machiavélisme le fascinent. «On était proches à l'époque, raconte Jarek. C'est mon petit frère. Il était étudiant et avait des ambitions politiques. Quand j'ai décidé de quitter Walesa, j'ai pensé trouver sa compréhension et son soutien. Au lieu de ça, il m'a dit: "Tu es idiot, pas moi." Et il a voulu devenir son porte-parole à ma place. L'échange a été rapide. Je me suis rendu compte que notre relation était finie.»

Les deux frères ne se sont pas revus pendant une dizaine d'années, jusqu'à ce que Jarek rencontre sa femme, Jolanta Kurska, dite «Jola», la brillante présidente de la Fondation Bronislaw Geremek à Varsovie. En 2001, elle a voulu organiser des retrouvailles en famille, avec les deux fils et leur mère, Anna. Jola est touchée par cette petite femme frêle, déchirée par la rupture de ses fils, concernée par la nation polonaise autant que par la misère sociale. Courageuse au point d'avoir exercé son métier de juge sous le communisme sans cacher son anticommunisme, militante à Solidarnosc, ce qui lui a valu d'être chassée du tribunal de Gdansk pour être envoyée en province. Traumatisée par la guerre, aussi, au point de demander à sa belle-fille de bien vouloir empêcher Jarek de faire des recherches sur son origine juive. « Ce que vous me demandez là est impossible », lui avait répondu Jola. Sa diplomatie souriante y parvient. Des déjeuners sont organisés chez Anna. « En privé, témoigne-t-elle, Jacek sait être charmeur, toujours en situation de show. Jarek adorait sa mère, il était toujours aux petits soins avec elle, faisait ses courses et son ménage, mais il est mélancolique et solitaire. Jacek arrivait en retard, la couvrait de roses et la faisait rire. Il gagnait son cœur. » Anna Kurska partageait aussi la même sensibilité idéologique que son cadet, qui avait fini par se fâcher avec Lech Walesa, avait réalisé un documentaire conspirationniste sur les forces obscures mobilisées contre la droite polonaise et rejoint un petit parti européen d'extrême droite, la Ligue des familles polonaises. Il se fera plus tard élire à la Diète puis au Parlement européen, d'abord pour la Ligue, puis au terme d'une fâcherie pour le PiS. En 2005, la première fois que le parti Droit et Justice a accédé au pouvoir avant de le perdre en 2007, Jacek est venu la voir pour la convaincre de se présenter au Sénat. Elle était à la retraite de son métier de juge. Elle voulait se rendre utile à la nation polonaise, utile aux plus démunis. La politique lui redonnait vie. Anna Kurska est devenue sénatrice du PiS. « C'était douloureux », dit Jarek.

« Les premières années où la famille s'est retrouvée, c'était assez enjoué, raconte Jola. On n'allait pas loin dans les conversations. On évitait de parler politique. Mais peu à peu, la politique a repris le dessus. » Une guerre sans fin. Jacek a accusé le journal de son frère de connivence avec les juges. *Gazeta Wyborcza* l'a poursuivi en diffamation et a eu gain de cause, obligeant Jacek Kurski à publier le jugement dans les grands quotidiens du pays ainsi qu'une lettre d'excuse à la télévision publique. Pendant la campagne présidentielle de 2005, Jacek était à la manœuvre pour torpiller la candidature de Donald Tusk. Jacek Kurski était déjà très au fait de la stratégie des *fake news* dont raffolera le conseiller stratégique de Donald Trump, Steve Bannon : il avait notamment distillé la rumeur dévastatrice selon laquelle le grand-père de Tusk s'était enrôlé volontairement dans l'armée nazie. Interrogé par des journalistes sur les raisons de ce mensonge évident, il avait répondu par cette phrase d'un cynisme magnifique : « Quoi qu'on dise, les ploucs le gobent toujours. » En 2015, après une brouille passagère, Jacek retrouve le PiS pour lequel il exécute des clips de campagne. Kaczynski apprécie son sens de la communication et le remercie de ses bons et loyaux services en le nommant directeur de la télévision publique. À peine arrivé, Jacek Kurski en a évincé les meilleurs journalistes et l'a transformée en organe de propagande, sans nuance ni réserve. La Plateforme civique et le gouvernement de Donald Tusk ont été marqués par des affaires de corruption qui ont largement contribué à leur défaite. Ils n'ont jamais procédé au verrouillage progressif des contre-pouvoirs et à la prise en main du politique sur la justice et les médias, comme le fait la Pologne de Kaczynski. La Commission européenne a déclenché une procédure sans précédent, à l'instar de celle dont la Hongrie doit rendre compte, en raison d'un « risque clair de violation grave de l'État de droit ». Jacek Kurski en est l'une des chevilles ouvrières.

La Pologne est irréconciliable et les frères ennemis de Gdansk le sont aussi. J'aurais aimé rencontrer Jacek Kurski et écouter son point de vue, mais il n'a jamais répondu à mes mails, ni à mes appels téléphoniques à son bureau. L'un de ses amis de jeunesse, qui m'avait gentiment donné rendez-vous pour me parler de lui, a subitement préféré annuler. « Je dois mener mes projets professionnels et je ne veux pas rencontrer de journalistes », m'a-t-il fait répondre. J'ai mesuré le fossé infranchissable entre deux parties distinctes de la société polonaise en parlant à différentes personnalités, du côté de l'opposition mais aussi du pouvoir, bien que chez ceux-ci soient nettement plus méfiants et difficiles d'approche. J'y ai perçu le même ressentiment que les Hongrois vis-à-vis d'un monde libre qui ne correspondait pas à leurs attentes. La même nostalgie d'une grandeur perdue, la même perception d'un complot du « consortium international » dont le principal objectif serait de mettre la Pologne « à genoux ». Le sentiment d'être privé de voix face à un « politiquement correct » dominant en Europe. La même détestation de l'esprit des Lumières, des sociétés ouvertes, libérales, cosmopolites, métissées, laïques, oublieuses des racines chrétiennes, de la tradition et de l'ordre moral. La peur des migrants qui menaceraient les valeurs occidentales – qualifiés par le gouvernement de « parasites » et autres vocables empruntés à l'antisémitisme ancestral. Et, plus qu'en Hongrie, la revendication d'une identité catholique forte qui incite au repli sur soi. Et, bien encore plus qu'en Hongrie, un nationalisme qui va jusqu'au révisionnisme officiel, visant à gommer de l'histoire les pages sombres de la Pologne, notamment sa contribution à la Shoah. Le grand sorcier des droites populistes en Europe, Steve Bannon, n'a pas de prise sur la Pologne. Jaroslaw Kaczynski est un animal à part, solitaire et replié. Il entretient de bonnes relations avec Viktor Orbán et a reçu la visite de Matteo Salvini en janvier 2018, pour évoquer leur projet de regroupement au sein du futur Parlement européen. Mais il a beau partager avec Bannon la défense identitaire de l'homme blanc chrétien, il se méfie d'un Américain connecté avec la Russie de Vladimir Poutine, l'ennemi public numéro un en Pologne. Et si le PiS n'aime pas l'Union européenne, il se garde bien de le dire, trop conscient qu'il est de ce que le pays perdrait à en sortir – du moins tant qu'il est débiteur. « Le pire danger pour les Polonais, analyse Jarek Kurski, ce n'est pas, comme ils le disent, la Russie, l'Allemagne ou l'Europe, ce sont les Polonais eux-mêmes. La méfiance envers l'Union européenne, qui est de toute évidence notre chance, procède d'un provincialisme stupide, et c'est la corde avec laquelle nous finirons pendus. Witold Gombrowicz l'avait déjà décrit. Il y a un germe d'autodestruction chez nous. »

La journaliste américaine Anne Applebaum, mariée à l'ancien ministre des Affaires étrangères de Donald Tusk, Radoslaw Sikorski, a une expérience personnelle de la manière dont la haine est apparue après 1989 entre des amis jadis unis dans la dissidence. Elle la raconte dans son article passionnant, paru dans le magazine *The Atlantic*, où les frères Kurski figurent à titre d'exemple d'une division qu'elle compare à la manière dont l'affaire Dreyfus a coupé en deux la société française. Ce serait simple et tentant de voir dans les deux frères l'incarnation exacte de deux idéologies opposées et d'une Pologne coupée en deux. Mais les ingrédients qui constituent les histoires familiales sont souvent plus triviaux. L'humain n'est pas fait que de politique. Les ressorts obscurs de la psychologie y ajoutent leur dose de jalousie, d'opportunisme, d'égoïsme, d'ambitions personnelles et de petites lâchetés. La carrière de Jacek Kurski peut s'expliquer aussi par sa déception ancienne de ne pas avoir obtenu la célébrité à laquelle il aspirait, après avoir été un jeune militant de Solidarnosc. « Les deux frères diffèrent politiquement, concède une de leurs connaissances communes. Jarek est patriote dans un sens qui ne se montre pas et ne se dit pas avec des grands mots, par un humanisme quotidien, en faisant un bon journal qui participe à la démocratie. Mais je ne pense pas que les idées politiques prédominent chez lui. Jacek n'a pas d'idée politique du tout. C'est juste quelqu'un qui a toujours voulu être au sommet. Il fait partie de cette cohorte de gens qui ont toujours voulu accéder au pouvoir et qui prennent actuellement leur revanche sur les libéraux, mieux doués, plus diplômés, qui ont occupé auparavant les postes. » L'histoire des frères ennemis de Gdansk ne se résume pas à la politique, mais l'histoire politique de la Pologne non plus. À leur image et comme partout, elle est faite aussi d'opportunismes et de places à prendre au cœur du pouvoir. La faille sismique qui déchire aujourd'hui les sociétés européennes, entre nationalistes et internationalistes, entre souverainistes et européens, entre traditionalistes et libéraux, est faite aussi de cela. En Pologne, l'affaire Dreyfus a commencé psychologiquement il y a trente ans et elle explose politiquement aujourd'hui. Depuis leur accolade télévisée dans l'église, le jour de l'enterrement de leur mère, les frères Kurski ne se sont plus revus.

7

Les chiffonniers d'Athènes

Il faisait nuit noire quand Kadir a installé son stand au bazar. Ce n'était même pas encore l'aube et à la lumière d'une lampe torche il déballait ses trésors : un bonhomme de neige en peluche, des chaussures pour dames et pour hommes, une collection de transistors, de chaînes hi-fi et de vieilles minicassettes, des guirlandes de Noël, des blazers et des robes de soirée, une tour Eiffel miniature, des tas de bijoux en tous genres, des tableaux, de la vaisselle, des feuilles de vigne farcies, une combinaison de plongée, des portables Nokia, des poignées de porte, des cruches en terre cuite, un bureau à tiroirs, un toboggan en plastique, des sacs à main, un chapeau à fleurs pour les mariages, des dieux grecs en plâtre, une bouée de sauvetage, et plein d'autres merveilles inattendues. Depuis les années qu'il est dans le métier, il a pris le coup de main pour ranger le principal sur deux, trois tables en Formica, le reste dans des cartons ouverts, et dresser son parasol pour abriter le tout. Les paires de chaussures, Kadir prend un soin particulier à les disposer sur le bitume, bien rangées côte à côte. C'est une de ses spécialités.

Le jour venu, sa grosse voix s'entend de loin quand on arrive sur le petit marché d'Eleonas, près d'un hangar de camions-poubelles. Il est situé tout à l'ouest d'Athènes, dans un quartier un peu déglingué, arrêté en plein essor par la crise et qui ne ressemble à rien – entre champs, entrepôts, industries, friches et chantiers abandonnés, mais à une station de métro des bars branchés de Gazi et d'une ancienne usine à gaz reconvertie en centre culturel. Kadir est le roi du bazar. Un de ces marchands capables de vendre des Frigidaire aux Eskimos et des radiateurs aux éleveurs de chameaux, avec la faconde d'Oliveira de Figueira dans *Les Cigares du Pharaon*. « *Oristè ! Oristè !* » (« Voici ! Voici ! – Venez par ici, venez regarder ! ») Du matin au soir, il appelle le chaland. Quand il est au bazar, Kadir a sa tenue de travail : un pantalon de treillis, des chaussures de sport, un maillot de sport bleu, une casquette militaire kaki. Mais quand on se retrouve le soir pour discuter autour de chips et d'un verre d'ouzo, au centre d'Athènes, Kadir s'est mis sur son trente-et-un. Il a un sweat-shirt à capuche gris clair très chic, des jeans délavés et coupés à la dernière mode et surtout, sa fierté, une paire de mocassins Vuitton flambant neufs. « Regarde, elles valent 700 euros », me dit-il en levant le pied et en tournant sa cheville, d'un air attendri. Il les a trouvés dans une poubelle de Kolonaki, le quartier le plus chic d'Athènes, là où habitent des armateurs, quelques ministres et autres notables. Je lui demande s'il est choqué de voir jetées tant de belles choses. « Mais non, pourquoi je serais choqué ? répond Kadir, philosophe. Je pense qu'ils ont raison. C'est comme s'ils me les donnaient à moi. De leur part, c'est de la philanthropie, en fait. »

Kadir est chiffonnier de profession. Sa richesse, qui n'est guère considérable, il la tire des poubelles des riches. « C'est ça qui est pratique avec les riches. Ils jettent tout ! Il y a de l'or dans les poubelles », dit Kadir en partant d'un grand rire. Et lui, il va chercher, ramasse, s'habille, donne, revend. Une ou deux fois par semaine, en début d'après-midi, il part faire son marché, muni de sacs et d'une benne qu'il tire à la main, dans les beaux quartiers d'Athènes. Il affectionne particulièrement Kolonaki, plus bourgeois, ou Exerchia, plus bobo branché. Il ouvre les poubelles, les éventre, en sort des objets qu'il examine. Tout est bon à prendre, de la paire de chaussettes au cartable d'écolier, en passant par l'anorak de ski ou les boîtes en fer pour biscuits. Il les nettoie et les revend au bazar où il ne va qu'un jour par semaine, le dimanche. De quoi récolter parfois 40 euros par mois, parfois 100, et parfois rien du tout. Je lui demande si, depuis qu'il est dans le métier, les ordures ont changé. Il m'assure que non, elles sont toujours les mêmes, à la différence près qu'elles s'adaptent à la mode de l'époque. « Les riches achètent toujours autre chose et jettent, explique-t-il.

C'est pour cela que je suis toujours à la mode moi aussi, en même temps qu'eux. »

Kadir est un enfant de la crise financière grecque, la fameuse, celle par laquelle l'euro a failli s'effondrer et que les Grecs n'ont pas fini de payer à coups d'austérité, de privations et de souffrances. Un vieil enfant né en 1964 dans une famille turcophone d'un village de Thrace et immigré à Athènes en 1981 après avoir rêvé de ses grandes avenues palpitantes et d'un travail moins épuisant que celui que lui donnait sa vie de marin sur les cargos. Les avenues palpitantes, il les a trouvées. Pour le reste, tout s'est effondré d'un coup, cette année 2010 où la Grèce surendettée s'est arrêtée de respirer. Où les Européens ont perdu du temps à tergiverser, entre la volonté des uns d'annuler une partie de la dette et celle des autres, l'Allemagne en tête, qui s'y refusait. À tort ou à raison, Angela Merkel remporte en Grèce la palme des personnalités politiques les plus haïes. Lors d'un voyage à Athènes en 2012, la chancelière allemande avait dû assister au spectacle de dizaines de milliers de manifestants sur la place Syntagma arborant partout son effigie grimée en Adolf Hitler, avec moustache, culottes de peau à la bavaroise et brassard nazi au bras. Elle a incarné la cruauté de réformes d'austérité drastiques imposées à la Grèce, elle est la représentante d'un gouvernement plus sensible que les autres au souvenir de l'inflation des années 1920 aux conséquences politiques funestes, plus attaché que les autres à la discipline budgétaire et au respect à la lettre de la Constitution et des traités. Au bazar d'Eleonas, d'ailleurs, une des marchandes s'appelle Merkel. C'est du moins ainsi que l'ont rebaptisée Kadir et ses copains, «parce qu'elle parle toujours très fort et qu'elle martyrise son mari». Kadir ajoute qu'il plaint le mari de Merkel (celui de la dame du marché). L'Union européenne, il ne faut pas lui en parler. «Pfff», conclut-il, en faisant de la main un geste de rejet, l'air de dire : pas la peine, passons à autre chose.

Les parents de Kadir travaillaient dans les champs de tabac. Ils habitent toujours là où Kadir a grandi, dans un petit village misérable au double nom de Ifaistos et Kalkantza, dans la minorité turcophone et musulmane de la Macédoine-Orientale-et-Thrace, dont la capitale est Komotini. «C'était dur, là-bas, se souvient Kadir. Tout le monde était pauvre et portait des habits rapiécés. Je ressemblais à Charlie Chaplin» – il fait la démonstration en relevant son pantalon par-dessus ses chaussettes. Il aidait ses parents à couper les plants de tabac et à apporter la récolte sur la place centrale du village. «On travaillait pour des propriétaires et on faisait tout à la main.» Dès qu'il a pu, Kadir s'est enfui sur les mers. Il n'en pouvait plus de la vie de village, «de sa société introvertie, refermée sur elle-même, où ta porte est ouverte à tout le monde». Il rêvait d'une grande vie à la capitale. Il s'est fait embaucher dans la marine marchande en tant qu'assistant à la cuisine, sur les cargos. Il voyageait. Un jour, il a enfin osé poser son sac à Athènes. C'était le début des années 1980, une période d'immigration, de croissance et de consommation éperdue. Tout le monde achetait. Ceux de la classe moyenne mettaient un point d'honneur à accumuler les signes de richesse. Deux, trois télévisions. Deux, trois voitures. Les riches se pavanaient en Porsche Cayenne. Les banques poussaient au vice avec des crédits à tire-larigot. Kadir est entré dans la ronde à sa façon. Il a commencé par vendre les bracelets de sa femme et autres objets de valeur qu'ils possédaient pour s'installer, puis il a trouvé un emploi de maçon. Peu à peu, ses économies lui ont permis d'acheter une maison à crédit. Soixante-treize mètres carrés dans un quartier du centre, au premier étage. « 65 000 euros, sans compter les travaux de rénovation et les intérêts du crédit. » De quoi loger leurs trois premiers enfants – ils en ont cinq aujourd'hui.

C'était en 2009. Juste avant la crise financière. Le temps d'une année, 2010, tout s'effondre à la vitesse de l'éclair. Le secteur du bâtiment est l'un des premiers touchés. Kadir est licencié. Il avait droit au chômage pendant six mois et demi. Après, plus rien. Il a fallu continuer à nourrir la famille, à rembourser le crédit immobilier tous les mois. C'est ainsi que la vie de Kadir a rencontré les ordures. C'est ainsi qu'il a croisé la route de la documentariste Laure Vermeersch, qui s'attache à raconter d'un film à l'autre les invisibles des grandes villes, ces bricoleurs de vie qui passent sous les radars des dirigeants et s'organisent comme ils peuvent quand les économies s'effondrent. Laure a su les regarder, eux dont la matière même de nos vies passe entre leurs mains : nos déchets. C'est à elle que je dois d'avoir connu Kadir, le roi du bazar d'Eleonas, le seigneur des poubelles d'Athènes.

C'est dur de faire les poubelles. On a peur du regard des autres. On a peur du sien sur soi-même, encore plus. «Au début, j'avais terriblement honte», raconte Kadir dans le petit local où nous nous sommes installés pour manger nos chips, le soir. Replonger dans ces souvenirs le rend soudain plus sombre et moins bavard. «J'avais peur. J'avais toujours dans ma tête la logique du village à Kalkantza, où tu es toujours surveillé par les voisins, où tous tes gestes sont vus et commentés par tout le monde. J'ai dû me raisonner. Je me suis parlé tout seul. Je me suis dit : "Allez, après tout, c'est ton travail et c'est comme ça, tu dois être fier, il faut bien gagner de l'argent pour la famille." Je me répétais ça en moi-même pour me donner du courage. Petit à petit, j'ai réussi à m'y faire. J'ai mis un chapeau pour me cacher, et j'ai commencé.»

Les premières semaines, il allait le plus vite possible pour ne pas se faire repérer. Il plongeait le bras dans la poubelle et ramassait la marchandise sans prendre le temps de la trier ni de l'examiner et rapportait chez lui tout ce qui tenait dans ses deux mains. «C'était horrible, ça sentait mauvais, il y avait des vers.» Puis le métier est rentré. Il a commencé à s'organiser pour vendre son butin. D'abord dans un marché situé à Gazi, au centre de la capitale, sur un terrain appartenant à la municipalité. La gentrification et la mairie ont fini par les chasser et les chiffonniers, organisés en association, se sont retrouvés sur le marché d'Eleonas. Kadir n'a plus honte maintenant. Il prend son temps pour chercher les trésors et ne se fait plus avoir comme avant à la revente : «Ces chaussures Vuitton, me dit-il en les montrant à nouveau en faisant pivoter sa cheville, j'ai vendu les mêmes pour 3 euros. Je ne savais pas que c'était cher ! Pareil avec un collier de pierres semi-précieuses. Au bazar, un type est arrivé avec une lampe, a regardé attentivement les pierres. Il a eu un petit mouvement de sourcil, puis m'en a proposé 3 euros. S'il n'avait pas levé ses sourcils, j'aurais dit OK. Mais je me suis méfié. Mon fils est allé les faire expertiser. Elles en valaient 120 !» Kadir a même ses habitudes à Exerchia, dorénavant. «Des habitués qui m'aiment bien m'appellent et me donnent des choses gratuitement pour que je les vende. Ils aiment ma voix !» se réjouit-il.

D'un bout à l'autre de l'Europe, de Dublin à Athènes, John le marchand de chaussures et Kadir le chiffonnier comptent parmi les millions d'anonymes qui ont payé la crise financière, la crise des dettes souveraines de 2008-2010 et les politiques de rigueur très dures qui ont suivi. Mais les pays les plus marqués par la crise ne sont pas les plus marqués par le populisme. Au contraire. La Suède, où la richesse par habitant est une des plus élevées au monde, a failli voir une majorité d'extrême droite s'emparer du Parlement. Les conservateurs nationalistes ont triomphé en Pologne, où le PNB par habitant et le niveau de vie moyen ont considérablement augmenté depuis la crise. En République tchèque, le chômage quasiment inexistant n'a pas empêché le Parti social-démocrate de perdre les deux tiers de ses voix. La France est l'un des pays les moins inégalitaires de l'Europe occidentale, l'un de ceux qui ont préféré creuser les déficits plutôt que de mettre en œuvre l'austérité, l'un de ceux où l'État social garantit mieux qu'ailleurs une santé de qualité gratuite pour tous et l'indemnisation des chômeurs. Malgré cela, plus de la moitié des électeurs votent pour des partis antisystème, d'extrême droite ou d'extrême gauche, sans compter les abstentionnistes. La crise économique et sociale qui découle de la crise financière de 2008 ne suffit donc pas à expliquer le populisme. Les pays du sud de l'Europe ont payé plus que les autres par l'affaissement des droits sociaux, des ajustements sur les salaires et les retraites à un niveau sans équivalent depuis la Seconde Guerre mondiale. Or au Portugal, en Espagne, en Grèce, mais aussi en Irlande ou dans les pays Baltes, les populistes pointent leur nez timidement, mais ils sont globalement absents. Est-ce parce que l'Espagne est un pays fédéral? Est-ce parce que le Portugal s'est construit par sa diaspora pendant les Trente Glorieuses? Est-ce parce que l'un et l'autre ont le souvenir encore vif de la dictature, dont ils ne se sont débarrassés que dans les années 1970? Est-ce parce que l'Irlande, habituée à la famine et à l'émigration, est un peuple de durs à cuire? Est-ce que, est-ce que…? Une chose est sûre : partout en Europe, les classes moyennes et les plus pauvres ont morflé, à coups d'emplois précaires, de chômage et de baisse du pouvoir d'achat. L'Italie, comme la Grèce, n'a jamais retrouvé son niveau de richesse d'avant la récession. Les mouvements populistes prospèrent dans le sillage de la crise de 2008, de manière plus ou moins fructueuse selon la singularité des pays et des circonstances.

Sur Twitter, on avait assisté en 2012 à un duel très étrange entre un Président balte et un Prix Nobel américain, précisément sur ce sujet de l'austérité. Paul Krugman, économiste keynésien de l'université de Princeton, s'était permis dans le *New York Times* de contester le succès économique de l'Estonie, le dernier arrivé et le plus pauvre de la zone euro, devenu le plus avancé en équipements électroniques et le plus exemplaire en matière d'austérité budgétaire. Non sans une pointe de mépris, il se moquait du petit pays qui s'était saigné jusqu'à l'os pour avoir lui aussi, comme la Lettonie et comme tous les autres anciens pays vassaux de l'Union soviétique, le droit de revenir au sein d'une Communauté européenne qui avait toujours été la leur. « Ces défenseurs de l'austérité », ironisait-il, « ils sont dans l'euro et soi-disant leur croissance explose ! » À l'aide d'un graphique, il montrait la courbe du PIB estonien, sa chute pendant les années de crise (2009-2010), suivie de sa remontée dont il notait qu'elle était « significative mais pas convaincante. Mieux que pas de reprise du tout, bien sûr – mais c'est ça qu'on nous fait prendre pour un triomphe économique?» Quand le Président estonien Toomas Hendrik Ilves a lu le *New York Times*, son sang n'a fait qu'un tour. Oubliées, son origine sociale-démocrate et sa famille politique, un peu plus nuancée sur les mesures d'austérité que ne l'était la coalition conservatrice alors au pouvoir. Il s'est jeté sur son compte Twitter et s'est déchaîné en salves furibondes contre l'expert prétentieux qui se permettait de lui donner des leçons. Premier tweet à 20 h 57, le 6 juin 2012 *:* «Allons-y, écrivons sur des sujets sur lesquels on ne connaît rien, soyons contents de nous, arrogants et condescendants : après tout, ce ne sont que des nègres.» Deuxième tweet à 21 h 06 : « Être Prix Nobel en exercice, ça veut dire qu'on peut pontifier sur les questions budgétaires et déclarer que mon pays est un terrain vague. Ça doit être un truc entre Princeton et Columbia.» À 21 h 15, encore un : «Mais oui, que savons-nous, nous, Estoniens? Nous ne sommes que des Européens de l'Est demeurés et idiots. Incultes. Un jour, nous finirons aussi par comprendre. *Nostra culpa.*» À 21 h 32, le président s'énerve un peu plus, tout seul : «Allons-y, traitons les Européens de l'Est comme de la m... Leur anglais est nul, ils ne réagiront pas et ils feront ce qu'on leur dit de faire.» Etc. Le dernier est à 22 h 10. Quand je suis allée voir le Président tweeteur dans son palais à Tallín, quelques mois après cette bataille si insolite qu'elle avait inspiré un opéra à un compositeur américain, il en avait remis une louche : «J'en ai assez qu'on prenne les Européens de l'Est pour des *Untermenschen* primitifs!

Krugman a son agenda politique en faveur de la dépense publique aux États-Unis. Il veut prendre l'Estonie pour preuve alors que ça n'a rien à voir. Nous n'avions pas d'autre choix que l'austérité car nous ne pouvions pas emprunter à un taux viable. Sait-il seulement d'où nous venons, ce que nous avons traversé ? Non, il ne sait pas. Il est Prix Nobel et il s'en fout. Ça donne cette position idéologique stupide sur la politique d'un gouvernement démocratiquement élu. »

En matière d'arrogance, Toomas Hendrik Ilves n'est pas le dernier à en être pourvu. Mais en quelques tweets, le Président au nœud papillon et à l'éducation américaine a de fait résumé le grand débat de l'heure : d'un côté, derrière Angela Merkel et la Commission de Bruxelles, les tenants de l'austérité budgétaire, certains de trouver dans la réduction des dettes publiques le seul remède pour une relance saine et durable. De l'autre, Paul Krugman en tête, les partisans de la relance, certains que l'austérité imposée en pleine récession est une erreur historique, payée par des millions de chômeurs en Europe, pour ne même pas réduire la dette. Les Estoniens, entrés dans la zone euro après une cure budgétaire douloureuse, trouvaient de mauvais goût de soutenir des Grecs dont les retraites et les salaires étaient supérieurs aux leurs, et qui continuent à ne soumettre à l'impôt ni les riches armateurs (qui délocalisent leurs sociétés), ni l'Église orthodoxe qui en est arbitrairement exemptée, et dont la valeur des biens en or et en immobilier est équivalente à la dette du pays. Rigueur ou endettement, qui a raison ? L'opéra tiré de la guerre Krugman-Ilves fut une chose bizarre, d'une durée de seize minutes, où les voix des deux ennemis s'étripaient sur les bienfaits de l'austérité budgétaire, à coups de cris courroucés.

Un opéra non moins stupéfiant avait eu lieu sur le même thème, un vrai cette fois, en 2011. Dans le rôle de Krugman, Barack Obama. Dans celui d'Ilves, Angela Merkel. Pour la première et la dernière fois de sa vie, ce jour-là, la chancelière allemande a pleuré devant ses homologues du G20, lors d'un dîner en marge du sommet, à Cannes. Le Président américain ne comprenait pas que les Européens n'aient toujours pas fini de régler la crise grecque et la crise de l'euro : comment pouvaient-ils se montrer à ce point incapables de relancer l'activité dans la zone monétaire ? Il suffit d'utiliser l'argent public comme les États-Unis l'ont fait avec leur plan de relance, après la faillite de Lehman Brothers. Qu'attend-elle pour faire pression sur la Bundesbank afin qu'elle agisse comme la Fed ? Mais l'Allemagne, traumatisée par son passé, toujours à cheval sur le respect des traités et des règles budgétaires communes, porte la culture de la stabilité jusqu'à un dogmatisme d'expert-comptable. Elle rechigne à participer au sauvetage de l'euro par crainte d'une course en avant des pays trop dépensiers qui conduirait à un engrenage fatal. Angela Merkel n'est que l'émissaire du Bundestag et l'obligée de la Cour constitutionnelle allemande. Mais le monde est en feu, l'euro au bord de l'explosion, et c'est elle qui bloque. Lors de ce dîner en comité restreint d'où les conseillers sont exclus et où trône un Barack Obama hautain et ironique, la chancelière est sur la sellette. Le Britannique David Cameron regarde ses ongles en sifflotant intérieurement, Nicolas Sarkozy, qui la pousse à céder, boit du petit-lait.

Barack se tourne vers Angela :

– Quand peux-tu régler ça ?

Angela : – Je comprends ton raisonnement, mais la Bundesbank n'est pas disposée à être plus interventionniste.

Barack : – Tu dois t'engager au nom de ta banque centrale !

Angela : – Ce n'est pas « ma » banque centrale. Je n'ai pas de pouvoir sur elle. Cela doit être débattu avec le président de la Bundesbank et le Bundestag. La Bundesbank est indépendante !

Barack : – Mais toutes les banques centrales sont indépendantes ! Nous sommes dans une situation d'urgence !

Blottis dans une petite pièce à l'écart où la scène est retransmise en direct, les conseillers médusés voient apparaître en gros plan sur un écran le visage de la chancelière en pleurs, au bord de craquer. Le Président américain est glacial, à la limite du mépris. L'air de dire : quand la maison brûle, tu ne te demandes pas si l'extincteur est à toi, tu le prends.

Angela : – Je ne peux pas. Vous me demandez quelque chose que je ne peux pas faire. Écoutez-moi : c'est vous, les vainqueurs de la Seconde Guerre mondiale, qui avez voulu l'indépendance de notre banque centrale parmi d'autres contre-pouvoirs puissants. C'est vous qui avez imposé à l'Allemagne une Constitution qui interdit d'agir sur la Bundesbank et c'est mon devoir de chancelière de la faire respecter. Vous me demandez de violer la Constitution que vous avez dictée au peuple allemand.

Silence.

Celle que la presse allemande de centre gauche surnommait « Madame No » et comparait à Margaret Thatcher a fini par faire des concessions sur la Grèce, cependant jugées trop tardives. De son côté, Alexis Tsipras a cheminé, lui aussi : le Premier ministre grec, qui avait promis de révolutionner l'Europe et de ne jamais céder à l'austérité imposée par Bruxelles, est passé du trublion gauchiste à l'Européen ultradiscipliné, jusqu'à accepter un nouveau plan de rigueur d'une dureté sans précédent. Tout plutôt qu'une sortie de l'Union européenne dont il sait qu'elle serait plus dramatique encore. Il s'est même uni à Angela Merkel, venue lui rendre visite en janvier 2018, pour combattre le nationalisme et les mouvements antieuropéens.

« *Oristè ! Oristè !* » Sur le bazar d'Eleonas, Kadir vient de vendre 10 euros une antenne parabolique à une famille afghane. La politique ne l'intéresse pas. Quand il habitait au village avec ses parents, le maire était communiste et il votait pour lui «parce qu'il s'occupait bien de remplacer les routes boueuses par du bitume». Depuis qu'il est à Athènes, il ne vote pas toujours. Ces derniers temps, il est pour Tsipras «parce qu'il s'occupe des pauvres. Grâce à lui, l'État me verse 160 euros par mois. Je lui suis reconnaissant.» Entre le marché et les petits boulots à 10 euros de l'heure qu'il fait de temps en temps, à transporter du bois ou des équipements pour un charpentier, Kadir arrive à gagner entre 300 et 700 euros par mois, ça dépend. Il a cinq enfants dont l'un travaille déjà, dans une boutique de matériel informatique. Avec son aide et celle de son gendre, il a assez pour rembourser son crédit immobilier. «Je peux manger du pain avec un oignon tous les jours. J'ai une belle vie, dit Kadir. Mieux que celle de mes parents, et moins bien que celle de mes enfants!» Il part d'un grand rire et croise les bras, debout sous son parasol, entouré de tous ses trésors.

8

Miklós et László

Je suis revenue en Hongrie une première fois
en 2006, pour couvrir les émeutes sur la place du
Parlement et interviewer Viktor Orbán, et plus
tranquillement en novembre 2018, au cours d'un
périple qui m'a menée de Paris à Dublin, de Dublin
à Édimbourg, d'Édimbourg à Bratislava en avion, puis
en train, de Bratislava à Budapest, avant de bifurquer
vers Vienne, Riga, Gdansk, Gibraltar, Naples, la campagne romaine et ailleurs. Revenir sur ses pas dans
une ville où l'on a vécu une trentaine d'années auparavant n'est pas totalement agréable et vous renvoie
au sentiment banal mais cuisant du temps qui passe,
avec sa bonne dose de mélancolie. Les lieux sont les
mêmes, mais pas vraiment, les gens sont les mêmes,
mais ont vieilli. En apparence, la capitale n'a plus
rien à voir avec ce qu'elle était en 1993. Le centre du
monde n'est plus le café Tilos, qui d'ailleurs a disparu,
mais une multitude de bars et de restaurants branchés

qui pourraient être ceux de Londres ou de Paris. Pourtant, la petite Hongrie est restée une planète à part. Tout au milieu de l'Europe avec sa langue inexportable, son lac vénéré comme une mer, la nostalgie de sa grandeur et d'un temps d'avant le découpage de l'Empire austro-hongrois. Celle que le bloc soviétique avait définie comme « la meilleure baraque du camp » l'est encore aujourd'hui, avec une économie propice aux entrepreneurs et aux investissements, un secteur industriel performant, un taux de croissance plus élevé que la moyenne européenne, le plein-emploi et une cruelle pénurie de main-d'œuvre. L'immigration serait la solution pour y pourvoir, mais les immigrés ne sont pas la tasse de thé de Viktor Orbán. « L'immigration n'est pas dans notre philosophie, m'a expliqué avec un *understatement* presque britannique le porte-parole du gouvernement, Zoltán Kovács. Notre stratégie est à plus long terme et est fondée sur la famille. Nous souhaitons encourager les naissances, sachant que les deux piliers de notre philosophie sont la compétitivité économique et l'identité nationale. » La Hongrie de Viktor Orbán : moins de 10 millions d'habitants, pas plus que dans les années 1960. Pas de migrants, peu d'étrangers, quasiment pas de Noirs, et ne parlons pas des musulmans. Une opposition muselée. Le taux de suicide le plus élevé d'Europe.

J'ai rendez-vous avec László Trócsányi, mon ancien patron. J'ai toujours une des cartes de visite qu'il avait fait faire à mon nom, en tant que « *visiting associate* » pour le cabinet d'avocats Nagy és Trócsányi où je travaillais. En bas de la carte, il y a l'adresse du cabinet, un numéro de téléphone et un numéro de « téléfax » qui nous rappelle péniblement qu'il y a trente ans, c'est un temps préhistorique. László est donc devenu ministre de la Justice de Viktor Orbán. J'aimerais comprendre comment quelqu'un pour qui j'éprouve tant de sympathie et d'affection, qui n'était pas politisé à l'époque où je l'ai connu mais semblait si ouvert au monde et à ses différences, peut en arriver à se mettre ainsi au service d'un gouvernement qui asphyxie l'opposition, réduit les libertés publiques, lance une guerre contre le philanthrope George Soros à la limite de l'antisémitisme, refuse de prendre sa part à l'accueil des migrants, torpille l'Union européenne et prône la démocratie « illibérale ». Comment on en est arrivé à cette grande boucle, à ce grand mouvement de retour ou de régression, d'une liberté si magnifiquement reconquise en 1989 au repli conservateur et nationaliste. Il m'attend dans son bureau à 18 heures, m'a-t-il indiqué par mail, très chaleureusement.

Le ministère de la Justice est situé sur la place, juste en face du Parlement où se trouve le bureau du Premier ministre. Viktor Orbán a déménagé le sien récemment, comme on l'a vu, après s'en être fait construire un plus grand de l'autre côté du Danube. Mais à l'hiver 2018, il était encore là, au premier étage de cet édifice copié sur le gothique palais de Westminster, avec double vue sur la place et sur le fleuve. Une fois passées les embrassades des retrouvailles avec László, je ne peux m'empêcher de me poster à la fenêtre avec l'espoir de distinguer la silhouette du fameux et contestable autocrate. « Ne cherche pas, M. Orbán n'est pas là », prend soin de me préciser mon hôte, un peu inquiet de me voir observer avec insistance le bureau de son chef. « M. Orbán » : il n'évoquait le Premier ministre que sous cette forme. Je n'ai pas osé lui demander si c'était dû à son usage imparfait des niveaux de langage en français, ou s'il tenait à marquer cette distance respectueuse.

– Écoute, me dit-il pour commencer, je sais que tu es critique de M. Orbán et du gouvernement de la Hongrie. Souvent, en Europe, vous ne comprenez pas qui nous sommes, d'où nous venons, notre identité et notre histoire. Nous, les Hongrois, nous sommes 10 millions, plus 4 ou 5 millions à l'étranger, et c'est tout. On a subi cent cinquante ans d'occupation par les Ottomans, puis les Habsbourg, puis les nazis, puis les Soviétiques, et nous continuons à exister avec notre langue unique au carrefour de l'Europe. La Hongrie est un miracle. C'est un peuple qui a toujours lutté pour son indépendance et pour la liberté. Tu dois comprendre que l'identité nationale est le point commun de notre histoire, un élément très important.

– Quand je travaillais avec toi en 1993, l'identité nationale ne te paraissait pas incompatible avec l'idée d'une Hongrie ouverte au monde et aux investissements étrangers. Tu ne t'y opposais pas, au contraire : tu étais même leur avocat !

– Pour moi, en tant qu'avocat, c'était le paradis, je ne te le cache pas. C'était plus intéressant que de s'occuper des divorces et des crimes de droit commun. Cela m'a aussi bien rapporté sur le plan financier, même si l'argent ne m'a jamais intéressé. Bref, j'étais très heureux à cette époque, mais aussi un peu mal à l'aise. Heureux d'être l'avocat de grandes sociétés françaises, comme la Lyonnaise des eaux, et de rédiger pour elles des contrats de plusieurs dizaines de pages, mais gêné que les municipalités acceptent tout et signent sans négociation et sans amendement, même si nous, on refusait les dossiers qui nous semblaient être malhonnêtes. Dans les années 1990, on était pauvres et on faisait face à un capitalisme sauvage. On se méfiait des privatisations, parce qu'ici on a l'habitude qu'elles soient liées à la corruption. Quand les sociétés occidentales sont arrivées en Europe centrale, on voyait bien qu'il n'y avait pas d'égalité entre les parties contractantes. Les investisseurs étrangers arrivaient avec de l'argent, les meilleurs avocats, des experts-comptables, etc. Face à eux, l'État hongrois et les municipalités n'étaient pas en position de force. Au bout de quelques années, les Hongrois se sont réveillés : qu'est-ce que nous avons signé ? Un grand nombre de ces sociétés étrangères ont alors commis la faute de refuser de négocier. Elles sont restées fermées et rigides pour conserver leurs avantages obtenus au départ. Il faut écouter l'autre partie aussi. J'ai vu des problèmes apparaître, et dans des secteurs clés qui touchaient la sensibilité de l'État. Après notre entrée dans l'Union européenne, en 2004, il y a eu des malentendus. La condition pour appartenir à l'UE était d'ouvrir notre marché. Des investisseurs se sont emparés d'usines qu'ils ont fermées ensuite et des secteurs d'industrie ont disparu. Le chocolat, entre autres, est aujourd'hui fabriqué ailleurs, alors qu'auparavant ce n'était pas le cas, et la liste est longue.

– Comment as-tu fini par te retrouver ici, dans le gouvernement Fidesz ? Au début des années 1990, si je me souviens bien, tu étais plutôt en sympathie avec le parti chrétien conservateur de József Antall, le Premier ministre de la transition démocratique. Le Viktor Orbán de l'époque était un jeune héros de l'opposition à l'URSS, très engagé contre l'ancien régime et très libéral, bien plus que toi ! Et aujourd'hui, il est à la fois conservateur et nationaliste. Alors qui a changé ? Lui, toi, les deux ?

– En trente ans, c'est le monde qui nous entoure qui a le plus changé ! Je ne connaissais pas M. Orbán à cette époque-là, en 1989. Il a une dizaine d'années de moins que moi. Je n'ai jamais eu une carte d'adhérent au Fidesz, ni à aucun parti politique. Je n'ai jamais participé à une manifestation. J'ai été élevé dans une famille traditionnelle, conservatrice, très opposée au régime communiste, c'est vrai, mais prudente. Tu vois cette photo de mon père ? (Il me montre la photo en noir et blanc posée sur son bureau.) Cette photo est toujours tournée vers moi, car mon père est un élément important dans ma décision d'accepter ce poste. Il adorait le ministère de la Justice. Il y avait travaillé au département de droit international. Il parlait plusieurs langues et publiait des livres juridiques. Quand les nouvelles « élites » sont arrivées en 1952, elles ont dégagé les fonctionnaires qui travaillaient là déjà avant la Seconde Guerre mondiale, ce qui était aussi le cas de mon père. Ils l'ont placé au cadastre, comme géomètre. Mon père n'était pas une personnalité courageuse. Il restait tranquille. Il pensait que les Soviétiques resteraient chez nous cent cinquante ans comme les Turcs. Il n'imaginait pas qu'« ils » partiraient, que le régime communiste se terminerait un jour. Au moment de la révolution d'octobre 1956, il avait voulu qu'on quitte le pays. Le camion était prêt pour partir en Autriche mais j'étais né juste avant, en mars, et ma mère a refusé de partir avec un bébé. On est restés. On vivait pauvrement. Je n'ai jamais reçu un sou de mes parents mais des discussions, des lectures et une éducation classique, opposée au communisme mais sans s'en mêler et sans faire de bruit. Mon père me disait : « La politique, c'est dangereux. » J'en restais éloigné. Je me concentrais sur ma passion pour le droit public. 1989 a été un tremblement de terre. J'étais fan des événements mais je voulais surtout terminer mon livre sur la justice administrative.

– Tu n'es plus seulement un juriste maintenant, tu es au cœur du dispositif politique du gouvernement Orbán. Tu es l'avocat d'un gouvernement qui a motivé le déclenchement par l'Union européenne d'une procédure contre la Hongrie (article 7), pour atteinte à la démocratie – justice réorganisée pour servir le pouvoir, haute fonction et audiovisuel public sous contrôle, régression des libertés à des fins électorales pour étouffer l'opposition et s'assurer la permanence du pouvoir, campagnes publicitaires réservées à la presse prorégime, refus d'appliquer une décision européenne sur le partage de l'accueil des migrants, publicités contre Georges Soros aux tonalités antisémites… votre dossier est lourd !

– On verra ce que donne la procédure. Je peux répondre à toutes ces accusations une à une : elles sont toutes fausses à mon avis, même si les questions soulevées sont d'une importance indéniable. Il s'agit d'attaques politiques déguisées en termes juridiques. J'ai envie de te répondre comme Valéry Giscard d'Estaing à François Mitterrand en 1974 : « Vous n'avez pas le monopole du cœur ! » Vous nous dites que la liberté de la presse est attaquée : chez vous, le Conseil supérieur de l'audiovisuel (CSA) est à 100 % politisé. Vous nous dites que l'indépendance de la justice est menacée : je ne vois pas de différence avec votre justice à vous. La Cour constitutionnelle chez nous annule autant sinon plus de lois que chez vous, la Cour suprême hongroise autant de décisions de tribunaux ordinaires contre le gouvernement. Je suis l'auteur de la modification constitutionnelle qui sépare la justice ordinaire et la justice administrative – comme en France –, et de la loi créant le canevas d'une haute cour administrative – sur le modèle du Conseil d'État en France. J'en suis très fier. Nous avons créé des tribunaux spécialisés dans le domaine de l'administration, à l'instar de ce qui existe en Allemagne, en Autriche, en France. J'ai travaillé avec des juges et des professeurs d'université, et je ne sais pas pour qui ils votent. L'opposition dit que Trócsányi veut supprimer l'indépendance de la justice, détruire l'État de droit. Je rigole. Excuse-moi, mais je sais comment respecter la liberté et la justice. M. Orbán n'a jamais nié l'importance des élections libres, des valeurs fondamentales de la démocratie.»

– Vous respectez les élections libres, c'est exact. Viktor Orbán a été élu quatre fois et dans les règles, c'est exact aussi. Mais la démocratie ne se limite pas au moment du vote, elle est censée respecter les contre-pouvoirs après le vote, et pas utiliser la majorité pour changer la Constitution dans le sens qui l'arrange... Je connais votre habileté à dresser des équivalences avec les institutions françaises, mais la puissance des contre-pouvoirs et la liberté médiatique en France n'ont rien à voir avec les vôtres. À peine désigné, Orbán a nommé ses proches et des fidèles du Fidesz à pratiquement tous les postes clés du secteur public. Le Parlement, que le Fidesz domine à une majorité des deux tiers, a voté une multitude de lois dont beaucoup visent à réduire les garde-fous démocratiques. Et puis cette loi de 2010 (un peu amendée) qui instaurait une autorité de contrôle sur les médias publics et privés pour distribuer des amendes à ceux qui ne sont pas «politiquement équilibrés». Et la loi qui instaure la détention provisoire illimitée, etc.

– Je vais te dire ce qui vous gêne en réalité. Ce n'est pas l'atteinte à l'État de droit, c'est le caractère et le succès de M. Orbán, qui est devenu un diable en Europe occidentale, car il dit des choses qui ne sont pas bien vues, sur votre conception idéologique de la démocratie. Le vrai problème, c'est une différence de culture et de vision politique. Les attaques de l'Union européenne contre la Hongrie, ce sont celles des pays fondateurs contre nous, les pays d'Europe centrale, que vous appelez les « nouvelles démocraties ». Ah oui, nous, on ne connaît pas la démocratie, on est sous-développés, on doit apprendre à manger avec un couteau et une fourchette ! « Nouvelles démocraties », c'est une expression blessante et qu'on n'accepte pas.

– Là, tu touches un point qui fait mal. En effet, vous avez été les victimes des accords de Yalta, et nous, coupables de vous avoir complètement laissés tomber. Vous avez échangé une occupation contre une autre et on vous a abandonnés. Mais Yalta est un mythe ! Ce n'est pas l'Occident qui vous a lâchés. Il se trouve que l'Armée rouge était chez vous à la fin de la guerre. Et que, pendant ce petit demi-siècle, les Européens de l'Ouest ont pu bâtir une union démocratique. C'est une injustice tragique, mais de fait ils ont acquis un avantage d'ancienneté en matière de démocratie.

– Je ne suis pas d'accord. Quarante ou quarante-cinq ans, dans une perspective historique, ce n'est rien ! L'Espagne, le Portugal et la Grèce ont vécu sous des dictatures et n'ont eu accès à la démocratie qu'au milieu des années 1970. Pourquoi ne parlez-vous pas de « nouvelles démocraties » pour ces pays, mais seulement pour nous ? Comme eux, la

Hongrie est une vieille démocratie, interrompue par ces accords que vous avez acceptés à Yalta. Jacques Chirac avait peut-être raison de ne pas vouloir faire la guerre en Irak, mais pas de nous prendre de haut comme il l'a fait.

Ces mots de Jacques Chirac, combien de fois les ai-je entendus en Europe centrale? Personne ne les a oubliés là-bas. Ils résument un ressentiment que l'on ne soupçonne pas. Nous, ici, nous avons retenu que le président français avait préservé la France d'une participation à une guerre injustifiée et catastrophique. Les doutes et les interrogations de nos voisins ne nous ont pas concernés outre mesure. Au cours de mes voyages, j'ai pris conscience du mal qu'a fait cette petite phrase adressée avec mépris par Chirac aux pays d'Europe centrale qui ont décidé de suivre les Américains. C'était en 2003, à l'issue d'un sommet extraordinaire de l'UE sur l'Irak. La Pologne, la Hongrie et la République tchèque, suivies par cinq pays qui allaient devenir membres de l'UE en 2004 et deux pays candidats, avaient appelé à se ranger aux côtés des États-Unis et des Britanniques pour désarmer l'Irak. Notre président, conforme à la triste réputation d'arrogance française, les a grondés comme des enfants, jugeant qu'ils avaient «perdu une bonne occasion de se taire». Il a affiché sa supériorité en tant que vieux membre du «club», les menaçant même implicitement d'annuler leur candidature à l'UE: «Quand on est dans la famille, on a quand même plus de droits que quand on demande à entrer, qu'on frappe à la porte. Je ne critique personne, mais ce n'est pas convenable…» Il a insisté sur la Bulgarie et la Roumanie, qu'il trouvait «particulièrement légères». «Si elles voulaient diminuer leurs chances d'entrer dans l'Europe, elles ne pouvaient pas trouver un autre moyen», s'est-il emporté. Le lendemain, Tony Blair rectifiait le tir et prenait la défense des pays candidats, lui qui s'était malheureusement embarqué aux côtés de Bush : «Ils ont autant le droit de parler que la Grande-Bretagne ou la France ou tout autre membre de l'Union européenne aujourd'hui, a déclaré le Premier ministre britannique en conférence de presse. Ils savent combien il est important que l'Europe et l'Amérique restent unies.» Mais le mal était fait. Ce sentiment mélangé de déception et d'humiliation, très fort dans les pays victimes du découpage qui les a abandonnés à la dictature soviétique, compte pour beaucoup dans leur actuel de nationalisme actuel et leur rejet de l'Union européenne.

Pendant que László parlait, ma tête ayant la désagréable manie de se laisser dériver à penser à plusieurs choses en même temps, il me venait irrépressiblement à l'esprit le souvenir d'un conte que j'adorais quand j'étais petite. L'histoire de Serpolette. C'était un album abîmé qui avait déjà passé au moins une génération de lecteurs, avec des dessins démodés et cette bonne odeur du papier un peu moisi qui a beaucoup servi. Serpolette était une fille de bûcherons qu'un ogre avait enfermée dans son château. Elle était ravissante, bien sûr, et avait de longs cheveux tressés. Son amoureux – un prince, forcément – venait la voir en cachette en escaladant ses tresses jetées par la fenêtre du donjon. Mais pour que l'opération se répète et réussisse tous les soirs, il fallait acheter le silence des témoins. Et les seuls témoins, c'étaient les meubles de sa chambre. Donc Serpolette leur donnait à chacun une cuillerée de chocolat chaud. Dans l'album, les meubles avaient des bouches et des yeux pour dire combien ils étaient contents. Mais un jour, elle oublia la petite poubelle qui, exclue, vexée, furieuse, rapporta tout à l'ogre. Je suppose que ça finissait bien mais je ne sais plus comment. Qu'on n'aille pas me dire que je compare les pays d'Europe centrale, que j'aime tant, à une petite poubelle acariâtre et délatrice, ni l'UE à l'ogre ou même au Prince charmant. Je parle de cette perception d'abandon qui conduit au ressentiment. En essayant de le comprendre, j'ai pensé à l'histoire de Serpolette.

Quand je suis sortie de ma songerie parallèle, László était en plein milieu d'une tirade :

– Il faut le label « nouvelle démocratie » sur sa veste pour avoir le droit de parler ? Je vais te raconter autre chose qui m'a choqué. Après ces mots de Chirac, il y a donc eu comme prévu l'élargissement de l'UE à dix pays (Pologne, Hongrie, République tchèque, Slovaquie, Slovénie, Lituanie, Lettonie, Estonie, Chypre et Malte). Nous sommes enfin entrés dans ce club de l'Europe que nous désirions tellement. C'était un très grand jour pour nous. Le 1er mai 2004, vers minuit, il y avait une soirée sur la Grand-Place à

Bruxelles pour fêter notre arrivée. Qui était là ? Les dix ambassadeurs des dix nouveaux pays, sur un grand podium. Où étaient les quinze autres ? Les Italiens, les Français, les Belges ? Personne. Ils ne sont pas venus. J'étais choqué. On nous avait laissés tout seuls face à la foule et au maire de Bruxelles, pour chanter l'hymne européen. C'était blessant. Et à mon avis, le premier signe qu'il se passait quelque chose de bizarre.

– Tu me l'apprends et j'ai honte de ça, de nous. Mais toi, tu n'as pas honte de ton gouvernement qui refuse la solidarité à des migrants qui pour la plupart sont en situation d'urgence humanitaire et relèvent du droit d'asile ? Vous qui aimez tant rappeler l'Histoire, vous avez émigré en masse dans toute l'Europe en 1948 et en 1956. Et vous avez été accueillis. Vous l'avez oublié ?

– C'est vrai, je ne peux pas dire autre chose – ni en tant que juriste, puisque le droit d'asile relève de la convention de Genève, ni par mon histoire personnelle, puisque mon père avait planifié d'aller dans un camp de réfugiés en Autriche en 1956. La solidarité, c'est important, et la Hongrie est solidaire avec ses partenaires européens. Nous sommes également engagés dans de nombreuses actions de solidarité en Europe centrale et elles sont sous-estimées, pour ne pas dire ignorées. À l'université (László continue à enseigner le droit en plus de son activité de ministre), j'ai beaucoup d'étudiants africains, des Comores, du Gabon, ils ont des bourses financées par l'État et ça fonctionne très bien. Mais il y a différentes sortes de solidarités. Si nos partenaires européens veulent néanmoins accueillir des migrants économiques, c'est leur choix, mais pas le nôtre – les Hongrois ont répondu à la question par référendum en 2016. Tu ne peux pas forcer les sociétés à se transformer. Personne ne veut comprendre que l'Europe centrale a été une région clôturée de force pendant quarante-cinq ans. Et tout d'un coup, en échange d'avoir rejoint le club européen, on lui ordonne d'ouvrir son cœur et ses bras, conformément à ce que l'ingénierie bruxelloise calcule de ce que doivent être son cœur et ses bras : en fonction du PIB, de la taille du pays, de la population. Mais elle ne prend pas en compte l'histoire des pays, les identités, les spécificités. Vous voulez nous culpabiliser et vous nous avez critiqués quand on a dressé une clôture entre la Serbie et la Hongrie, mais c'était hypocrite car cette clôture arrangeait tout le monde, parce qu'elle défendait la frontière extérieure de l'Union européenne – ce à quoi nous sommes obligés en tant que membres de l'espace Schengen. Nous avons un malentendu sur l'identité, Marion. L'Europe n'est pas une seule vérité. J'adore l'Europe, j'adore Marion et ses amis. Mais vous ne pouvez pas nous forcer à être ce qu'on ne veut pas être. Je refuse cette Europe où quelques pays décident et imposent des quotas de migrants aux autres. La composition de la population est sensible, il y a des blessures inguérissables.

La discussion commencée à 18 heures au ministère de la Justice s'est terminée vers minuit autour d'un poulet-frites et d'une carafe de vin hongrois, dans un restaurant de Buda. On a recommencé le lendemain, ça n'en finissait pas. Je lui rétorquais qu'ils avaient refusé de prendre leur part en urgence de quelque 100 000 demandeurs d'asile en septembre 2015, comme le Conseil européen l'avait voté à la majorité qualifiée, que c'était un manquement au droit, à la solidarité entre États et à l'humanité tout court. Que l'immigration était aussi économiquement bénéfique aux pays d'accueil, et qu'à force de refuser toute immigration la Hongrie se trouvait prise au piège d'une dramatique pénurie de main-d'œuvre. On tournait en rond, László et moi. Il était toujours aussi chaleureux et souriant mais je voyais l'ampleur du fossé qui nous séparait : au-delà de la politique, l'antilibéralisme est une vision du monde. Il est une remise en question du libéralisme sociétal acquis dans les années 1960 en Amérique et en Europe. Quand Matteo Salvini se déguise en policier pour voir arriver sur le tarmac de l'aéroport de Rome son trophée de chasse, l'ancien gauchiste convaincu de meurtre Cesare Battisti, il envoie aussi le signal du retour à l'ordre moral contre l'idéologie soixante-huitarde. En théorisant la « démocratie illibérale », Viktor Orbán n'élabore pas seulement une stratégie de contrôle autoritaire du pouvoir – bien que le contrôle autoritaire du pouvoir soit sa priorité –, il exprime un dégoût, largement partagé dans cette région de l'ancien bloc soviétique, de ce que la société occidentale est devenue. Orbán en a fait une antienne de ses discours : la décadence de l'Europe de l'Ouest, la dissolution des mœurs, l'héritage de Mai 68. Il donne aux Hongrois ce qu'ils attendent : l'ordre et la stabilité, les valeurs chrétiennes et familiales plutôt que la liberté dont, en trente ans, ils n'ont pas eu d'expériences satisfaisantes. Il désigne des boucs émissaires, les « capitaux étrangers », les « banquiers capitalistes », les « élites cosmopolites », veut un État-nation monoethnique et ne veut pas de la tradition européenne des droits de l'homme érigée par des progressistes libéraux. Sans compter, au départ de tout, « l'effet Serpolette ».

Je m'indignais auprès de László des campagnes d'affichage contre Soros, à la tonalité antisémite, ou de la guerre juridique menée par le gouvernement hongrois contre la si prestigieuse Université d'Europe centrale, fondée par Soros, qui sera partiellement chassée de Budapest et obligée de déménager à Vienne, pour de fumeux prétextes de non-conformité à la loi. László répliquait qu'il n'y avait rien d'antisémite dans cette campagne contre Soros et que la guerre menée contre sa fondation Open Society relevait du « débat idéologique ». Quant au départ de l'Université d'Europe centrale, il le regrettait, mais elle ne remplissait pas les critères requis par la loi hongroise. Pour décrire cette situation fâcheuse – l'obligation pour une université de prestige mondial, installée dans la capitale hongroise depuis un quart de siècle et indépendante, de quitter Budapest pour Vienne –, il n'avait qu'une formule : « C'est malheureux. »

Miklós Konrád m'attend à la cafétéria de l'Université d'Europe centrale, justement. Il vient d'y faire une conférence sur l'histoire des juifs, sa spécialité. Miklós a le même âge que moi, nous fréquentions la même bande pendant mon année hongroise, nous nous retrouvions parfois au Tilos et dans des fêtes joyeuses chez les uns et les autres dont Budapest a toujours eu la spécialité. Miklós est né dans la dissidence. Il est le fils de l'écrivain György Konrád, enfant juif sorti miraculeusement vivant de la Seconde Guerre mondiale, combattant contre l'occupation soviétique pendant l'insurrection de 1956, emprisonné, proscrit, exilé, membre fondateur du parti libéral SzDSz. Rien à voir avec la résignation prudente des parents de mon ancien patron, malgré une même détestation de la dictature communiste. Miklós et László. Ils ne se sont jamais rencontrés. En 1989, ils se réjouissaient l'un et l'autre de la chute du régime et ce point commun l'emportait sur toutes leurs différences. Trente ans plus tard, ils sont les deux visages d'une société politiquement et moralement divisée, hostile l'une à l'autre, irréconciliable. Ces trente ans pendant lesquels Orbán le libéral est devenu Orbán le nationaliste, et la Hongrie avec lui. László est heureux : il est au cœur du pouvoir et s'apprête à relever le défi de devenir commissaire européen au moment où la Hongrie est le plus en guerre avec l'Europe. Miklós est malheureux : il a une femme et deux grands enfants, les fêtes battent toujours leur plein à Budapest, il a gardé sa vivacité et son humour, mais il voit sa vie de tous les jours se réduire comme une peau de chagrin. Son visage porte quelque chose de triste. « Ça fait longtemps que le pouvoir n'est plus notre adversaire mais notre ennemi, me dit-il. Avant, on le critiquait en riant, mais là on est passés à un niveau qui ne nous fait plus rire. On n'est plus dans un monde normal. Le jour où *Népszabadság* (le dernier grand journal d'opposition, de centre gauche) a fermé, il y a trois ans, j'ai dit aux enfants : "Préparez-vous à partir, il faut quitter ce pays." Ils avaient seize et treize ans. Ça a fait peur au plus petit et j'ai regretté. Mais si ça continue, on essaiera de s'en aller. »

Miklós me raconte comment la peur s'est insidieusement appesantie en Hongrie. « Le système marche bien, ironise-t-il, car les citoyens font pour moitié le boulot d'Orbán : pour ne pas s'attirer d'ennuis, pour ne pas perdre leurs jobs, ils se retiennent de critiquer, s'autocensurent. C'est normal : l'agressivité et la violence verbale sont un des éléments essentiels du discours du régime. Il faut voir dans les médias l'outrance des propos, la force constante des attaques contre l'opposition. » Un des éditorialistes les plus célèbres du pays, qui se vante d'avoir été l'un des plus anciens adhérents au Fidesz, passe son temps, me raconte Miklós, à répéter son « désir de faire violence physiquement à l'opposition en général ou à telle personne en particulier qui aurait contesté le Fidesz. Avec des phrases du genre : "Il serait temps que quelqu'un leur file une baffe." Et on laisse faire ça ! »

Cet éditorialiste officie sur la chaîne Echo TV laquelle appartient à Lörinc Mészáros, un ancien réparateur de chaudières devenu le temps d'une décennie, au début des années 2000, l'homme le plus riche de Hongrie. Un ami très proche de Viktor Orbán. « On vit dans un pays qui a été habitué à se taire, note Miklós. Le pouvoir, on s'en méfie. Les gens ont retrouvé le même réflexe de peur que sous Kadar. Trente ans n'ont pas suffi pour donner à la population assez de courage civique ni pour intérioriser que le pouvoir, en définitive, c'est nous. »

Lors d'un autre séjour en Hongrie, peu après la première réélection triomphale de Viktor Orbán qui lui avait donné une majorité des deux tiers au Parlement, j'avais déjà constaté le retour de la peur. C'était en 2010. Des intellectuels me proposaient qu'on se retrouve dans un jardin public pour parler de la situation politique, plutôt que dans un café. Les jeunes étaient plus audacieux, mais les plus âgés avaient la mémoire encore vive des oreilles qui traînent et des micros planqués. Ce n'était pas le cas du père de Miklós, György Konrad – depuis qu'un nazi l'a braqué avec un pistolet pendant la guerre, il n'a plus peur de rien. Mais l'écrivain, qui avait déjà soixante-dix-sept ans à l'époque, m'avait parlé lui aussi de cette peur silencieuse et de ces « petites choses qui rappellent parfois l'ancien régime », comme d'entendre ses amis lui dire de plus en plus souvent : « On ne va pas parler de ça au téléphone. »

Dans sa grande maison encombrée des collines de Buda, le vieux György me définissait ainsi Viktor Orbán, qu'il a vu arriver en politique et connaît sur le bout des doigts : « Orbán, c'est Poutine en moins violent, et Berlusconi en moins capitaliste. C'est un étatiste qui veut diriger seul la politique, l'économie, les médias, tout. » Quant au nouveau régime, il le décrivait comme une « démocrature » – entre démocratie et dictature. La Hongrie n'est pas une dictature, la liberté d'expression est maintenue, chacun est en droit d'écrire des horreurs sur le Premier ministre dans un blog s'il le souhaite. Orbán a réussi le tour de force, avec un grand art du mot à double sens où chacun peut trouver son compte, de bâtir cet immense parti de droite, le Fidesz, où peuvent se reconnaître à la fois les conservateurs et les libéraux, les ultranationalistes et les moins europhobes, les antisémites et ceux qui détestent les antisémites. Il brandit une rhétorique nationale vibrante – « Révolution des âmes », « Renaissance de la nation » –, et il contrôle d'autant plus facilement l'appareil législatif et exécutif qu'il n'a face à lui, du fait de l'indigence des leaders d'opposition, aucun contre-pouvoir solide. En 2010, le Premier ministre se définissait comme un « libéral national ». C'était avant sa dernière trouvaille de « démocrate illibéral ».

Cet alliage bizarre des mots « démocrate » et « illibéral », qui nous paraît aujourd'hui un oxymore pour linguistes, est finalement assez bien vu pour décrire le nationalisme populiste qui gagne l'Europe. « Parler de fascisme n'est pas approprié, ou pas encore », m'explique Michael Ignatieff. Lorsqu'il m'a reçue dans son bureau à l'hiver 2018, le directeur de l'Université d'Europe centrale commençait à faire ses cartons pour Vienne, il était dans un état de grande colère à l'égard des arguties fallacieuses du gouvernement pour les chasser de la capitale hongroise. Mais le fin expert politique qu'il est tient à la précision des mots. « Un État fasciste utilise la violence et la terreur, s'appuie sur une police politique, arme des milices, emprisonne les opposants… Ce n'est pas le cas d'Orbán, ni d'ailleurs de Kaczynski ou de Salvini. Il y a quelque chose de nouveau avec ces régimes : ils se servent de la démocratie pour mettre à mal les valeurs démocratiques. »

Viktor Orbán me fascine : non seulement par son habileté stratégique et parce qu'il incarne cette grande boucle, de la soif de liberté acquise en 1989 au repli nationaliste d'aujourd'hui, mais par la persistance de sa popularité. Il y a bien des manifs contre sa décision d'imposer aux employés, devant la pénurie de main-d'œuvre, des heures supplémentaires non payées. Mais c'est tout. La majorité ne râle ni ne s'indigne. À mon ami Miklós, qui, lui, fait partie des râleurs et des indignés, je demande de m'expliquer comment un pays qui s'est aussi héroïquement battu pour la liberté se résigne aussi facilement à voir rogner ses libertés. « Mais pour les Hongrois, avoir retrouvé la liberté, c'est quoi ? me répond Miklós.

Acheter une presse d'opposition? Ils sont 3 ou 4 %, pas plus, à la lire. Pouvoir voyager? La plupart n'en ont pas les moyens. Sous le régime de Kadar, ils avaient le droit d'aller à l'ouest une fois tous les deux ans, ou même chaque année s'ils y avaient un parent. Tout le monde allait s'acheter une télé ou un magnétoscope à Vienne.»

Les dix dernières années de la dictature communiste ont été plus légères en Hongrie, pendant la période où le réformateur János Kádár a pris en main le parti. La peur existait, mais le régime était moins agressif, il avait considérablement amélioré le niveau de vie et introduit un embryon d'économie privée, au point de faire des années 1980 les plus heureuses de la Hongrie. Quant à la jeune génération, comment pourrait-elle se réjouir du régime libéral et de sa dureté, elle qui n'a jamais connu autre chose et ignore tout de la brutalité de la dictature qui l'a précédée? L'esprit des Lumières disparaît, la liberté n'est plus une valeur prioritaire. «Depuis Kádár, les gens ont plus perdu que gagné, poursuit Miklós. La liberté, ils n'ont pas les moyens de s'en servir, en revanche ils découvrent le paiement des impôts – qui n'existaient pas –, l'insécurité, le chômage. Comment convaincre les gens que l'on vit mieux dans un pays libre, quand le seul vrai gain visible, c'est d'avoir accès à la société de consommation occidentale?»

En démocratie illibérale, les démocrates libéraux dépriment. «Chaque jour apporte son lot de nouvelles ahurissantes, dit Miklós. Sur l'invasion supposée des migrants, sur les complots ourdis par Soros, sur le projet de ne plus financer le département des études de genre à l'université…» Ses amis et lui prennent parfois la décision de ne plus lire les nouvelles le matin et de se concentrer sur leur travail. Ils n'y arrivent pas. «Moi, je suis incapable de me contrôler : je lis les nouvelles, ça me fout les boules, je fais des pompes, je travaille. Le soir, j'ai des bouffées de panique. Un pote qui a les mêmes m'a dit qu'il réglait ça à la vodka. Je préfère la gymnastique. Depuis qu'Orbán a été encore réélu en avril 2018, je suis dans une phase psychologique dure. J'étouffe. Il y a trente ans, on pensait que plus jamais on ne reviendrait en arrière. Que plus jamais aucun régime ne pourrait entamer nos vies en profondeur. Or on est à nouveau dans une période d'épreuve historique et on est en train de l'accepter.» La grande boucle. L'histoire qui recommence et qui revient. Je quitte Miklós sur le carrefour, entre l'avenue Andrássy et l'avenue József-Attila. Il fait une nuit d'hiver à Budapest.

9

Trois dîners (ratés) avec Poutine

Vladimir et Vaira. Quel meilleur commencement pour un conte de fées ? Ils sont nés tous les deux avant la mort de Staline, sur le même continent européen et dans le même empire, l'URSS. Elle en 1937, lui en 1952. Elle est jolie, un petit air d'Ingrid Bergman, et lui, il fait du judo. Ils ont connu tous les deux la dictature communiste, bien que de manière légèrement différente : elle de l'extérieur, en exil pendant quarante-sept ans, lui de l'intérieur, comme agent du KGB pendant près de vingt ans. Vaira détestait l'empire, qui l'avait déportée, lui sans doute un peu moins, qui en avait profité et l'avait fidèlement servi : c'est bien malgré lui si Vladimir a dû achever sa carrière au KGB prématurément quand le régime est tombé, avec le grade militaire de commandant. Ils parlent allemand l'un et l'autre mais ne l'ont pas appris de la même manière : Vaira, c'est au moment où, petite fille, elle survivait dans un camp de réfugiés en Allemagne ; Vladimir, c'est au moment où, adulte, il était en poste pour le KGB à Dresde où, sous le titre discret d'« employé consulaire », il officiait comme « recruteur d'espions » pour le service de renseignement. Ces quelques nuances induisent donc entre eux un petit écart de perception, mais il serait mesquin de leur part, à l'un et à l'autre, d'en garder quoi que ce soit qui ressemble au remords ou à la rancune. Vaira est partie trop tôt pour avoir eu affaire aux bons services de Vladimir, qui, dans le fameux service de renseignement de l'URSS, aux fonctions de police politique, était chargé en particulier de lutter contre les dissidents et autres « éléments antisoviétiques » – dont Vaira aurait vraisemblablement fait partie, si elle était restée. Quoi qu'il en soit, ce qui aurait pu créer une éventuelle mésentente entre Vaira et Vladimir se serait sûrement effacé en 1991, quand leur empire commun s'est effondré. Leur histoire interrompue par une longue et fâcheuse parenthèse totalitaire pouvait reprendre : l'URSS qui les avait soudés l'un à l'autre en une même entité politique n'existait plus. Alors Vaira est revenue dans son pays, la Lettonie. Vladimir est resté dans le sien, la Russie. Il était une fois la fabuleuse histoire de Vladimir Poutine et de Vaira Vike-Freiberga.

La suite de l'histoire et leurs retrouvailles ratées sont bien plus fabuleuses encore. Vladimir et Vaira deviennent l'un et l'autre président de la République presque en même temps. Vaira est élue à la tête de la Lettonie le 8 juillet 1999 et y restera huit ans. Vladimir

devient président de la République, d'abord par inté-
rim le 31 décembre 1999 après la démission surprise
de Boris Eltsine, puis officiellement élu le 26 mars
2000. Il l'est encore aujourd'hui vingt ans plus tard
(après un petit intermède comme Premier ministre,
suite à un échange de bons procédés pour rester au
pouvoir dans les règles de «l'alternance démocratique») et songe déjà aux constructions légales possibles pour y rester au-delà de 2024, fin théorique de
son mandat. Mais nous n'en sommes pas là. C'est peu
après leur entrée en fonctions mutuelle que, entre
Vladimir et Vaira, le conte se met à dérailler et à grin-
cer – comme quand le bras dérapait en plein milieu
de la chanson vers le centre du disque, du temps de
nos vieux pick-up, et que ça nous énervait.

Vaira Vike-Freiberga me reçoit chez elle à Riga,
dans son appartement encombré de souvenirs qui
fait face à la cathédrale orthodoxe, au centre-ville.
Une petite dame vive, directe, très drôle, s'exprimant dans un français parfait et d'une intelligence
exceptionnelle. Je ne connaissais d'elle que le respect
qu'elle avait unanimement inspiré pendant ses deux
mandats de présidence, et je souhaitais la voir pour
évoquer le sentiment européen particulier qui existe
chez les Baltes, à la frontière de la Russie et dans la
crainte constante de ce voisin encombrant, qui a
encore démontré en Crimée sa tentation impérialiste et s'ingère de manière active dans les affaires
occidentales – du soutien de Donald Trump dans la

campagne présidentielle américaine aux alliances avec les nationalistes populistes europhobes de l'Union européenne. J'ai été servie au-delà de mes espérances : Mme Vike-Freiberga n'a pas la langue dans sa poche et pour en avoir beaucoup vu, elle n'a plus peur de rien.

Vaira n'avait emporté qu'une poupée et un ours en peluche quand elle dut quitter Riga en vitesse, un jour d'octobre 1944. Les Soviétiques venaient de reprendre possession de la Lettonie que les nazis leur avaient arrachée en 1941 – pour une large part, il faut bien le dire, avec l'aide et la collaboration active des Lettons eux-mêmes. Le père de Vaira, un marin, est mort en mer peu après sa naissance, en 1938. À la fin de la guerre et trois jours avant l'entrée des troupes soviétiques à Riga, une opportunité de fuir s'est présentée : il y avait de la place pour des civils dans un convoi allemand qui quittait la Lettonie. La famille embarque. La mère, le beau-père, la petite sœur âgée de quelques mois qui ne survivra pas au voyage, et Vaira, sept ans, avec sa poupée et son ours en peluche. Dans le trajet pour rejoindre le convoi stationné sur les rives de la Baltique, il faut subir les bombardements de l'aviation russe, la faim, le froid. Puis la route à travers la Pologne, le camp de réfugiés lettons en Allemagne, près de Lübeck. La prise de conscience que l'exil ne s'achèvera pas avec la fin de la guerre et la défaite de l'Allemagne : les Alliés ne les libéreront pas comme ils l'espéraient de la terreur stalinienne et pour les Lettons, les Soviétiques ne valent pas mieux que les nazis. Le retour au pays n'est pas possible et en 1949, les autorités allemandes décident de fermer les camps de réfugiés. Il faut repartir. L'exil continue. Le hasard conduit la famille de Vaira au Maroc pendant cinq ans, où son père trouve un emploi de mécanicien à Casablanca, puis pendant trente-cinq ans au Canada, à Toronto. Elle y rencontre son mari Imants, émigré letton lui aussi, élève avec lui leurs deux enfants, devient psychoclinicienne dans un hôpital psychiatrique, entame une carrière d'universitaire et acquiert une notoriété autant au Canada, où le gouvernement lui confie des missions officielles, qu'en Lettonie, dont elle suit de très près les mouvements d'opposition à l'URSS et la lutte pour l'indépendance. De retour au pays, alors qu'elle n'appartient à aucun parti politique, les députés l'élisent présidente de la République.

Le président français, Jacques Chirac, est aussitôt séduit par sa charismatique homologue lettone. Il lui prodigue ses célèbres baisemains à l'ancienne qui la réjouissent autant qu'ils réjouiront Angela Merkel, quelques années plus tard. Le nouveau Président russe, Vladimir Poutine, lui, tarde à la rencontrer. Les relations entre la Russie et les pays Baltes ne sont pas au beau fixe. Elles ne se sont pas arrangées depuis qu'ils ont recouvré leur indépendance après la dissolution de l'URSS, et en dépit du fait que la Fédération russe a pu garder les anciens privilèges de l'Union soviétique, notamment son arsenal nucléaire et son siège permanent aux Nations unies. « La

Russie a adopté une posture de martyre», explique la Présidente avec un brin d'agacement. Ses représentants ont toujours prétendu qu'elle avait été humiliée et bafouée à la fin de la guerre froide, qu'elle était mal aimée dans bien des pays. Mais c'est surtout l'indépendance des trois pays Baltes qui semble avoir été pour eux une blessure d'amour-propre.» Quelque chose m'échappe. En quoi l'indépendance des Baltes est-elle une offense à la Russie? Ils se sont séparés de l'empire soviétique, pas de la Russie. C'était l'échec du communisme, du bolchévisme, de l'URSS, pas nécessairement de la Russie, qui théoriquement en était victime autant qu'eux. La dissolution de l'URSS offrait aux Russes la même occasion qu'aux Baltes de devenir libres et démocratiques. «Je leur pose la même question, répond-elle. "De quoi avez-vous à vous plaindre, en dehors des traumatismes d'un grand changement, qui sont les mêmes pour tous les peuples ayant vécu derrière le Rideau de fer, nous compris?" Mais c'est un fait: nous autres, Lettons, nous sommes contents d'être maîtres chez nous, mais eux, les Russes, se sentent humiliés de ne pas être maîtres chez les autres. C'est dommage...»

Le ton est donné: entre les Russes et les Baltes, les plaies ne sont pas refermées, et l'entrée des trois pays dans l'Union européenne et dans l'Otan, en 2004, ne simplifiera pas leurs affaires. Elle en remet une petite louche: «Grâce à la fermeté du président Clinton, les troupes de l'Armée rouge ont enfin quitté notre territoire en 1995, après cinquante ans d'occupation militaire et d'annexion illégale. Les Russes en ont été très déçus. Alors ils ont entrepris une politique active de médisances et de plaintes envers nous, les trois pays Baltes. En Lettonie, après des décennies de russification forcée, la proportion d'habitants russophones était montée à plus d'un tiers de la population, de 9 % qu'elle avait été avant la Seconde Guerre mondiale. La Russie a donc protesté haut et fort lorsque notre Constitution d'avant-guerre a été renouvelée et que le letton a retrouvé son statut de langue officielle du pays. Elle a interprété cela (entre autres choses) comme une atteinte aux droits humains de la population russophone.»

Mais revenons à Vladimir et Vaira, les fondamentaux du conte. À cette année 2000 où, l'un et l'autre à la tête de leur État, tous les ingrédients sont en place pour les retrouvailles. À peine élue, Vaira Vike-Freiberga décide de faire œuvre d'ouverture pour un rapprochement et annonce publiquement sa volonté d'arranger les choses. «Ayant grandi dans une famille d'exilés politiques je voulais souligner que j'étais prête à tourner la page et à collaborer de bonne foi», explique-t-elle. Dans la lignée de son prédécesseur, le Président Guntis Ulmanis qui, bien que déporté en Sibérie, avait invité le Président Eltsine à se rendre en Lettonie en visite d'État, en visite officielle ou en visite de travail, selon son choix. C'est dans cet état d'esprit que Vaira Vike-Freiberga réitère ces invitations ouvertes pour des échanges de visites entre les

Présidents russe et letton. La réponse qui lui revient du ministère russe des Affaires étrangères n'est pas à la hauteur de son enthousiasme : « Le climat politique n'est pas favorable à des échanges au plus haut niveau », lui fait-on dire. Mais l'arrivée de Vladimir Poutine offre une occasion de remettre les pendules à l'heure et, autant que possible, d'effacer les ardoises. La chancellerie de la présidente lettone reçoit alors des signaux, par des chemins détournés. Le Kremlin, au lieu de passer par son propre ministère des Affaires étrangères, aimerait établir une relation directe entre les deux présidents et leurs chancelleries. « Soit, nous acceptons de tenter la chose », me raconte-t-elle comme si elle y était encore. D'aventure en aventure, « la chose » vaut son pesant de cacahuètes. Ce sont les cinq rencontres entre Vaira Vike-Freiberga et Vladimir Poutine, dont trois dîners ratés – selon le témoignage détaillé que me fait la Présidente et que je reproduis ici en exclusivité, avec son autorisation.

Au cours de l'année 2000, la relation entre les deux États en est au point où l'on préfère les intermédiaires privés à la communication officielle entre les deux chancelleries.

« Un émissaire personnel du président Poutine arrive à Riga et nous propose une rencontre initiale privée en terrain neutre, raconte Vaira. On me propose qu'elle ait lieu à Saint-Christophe, un petit village en Autriche, où le président russe se rendra pour faire du ski en famille, avec son épouse Ludmilla et ses deux filles. Ce serait tout à fait informel, on dînerait amicalement ensemble, on ferait connaissance et on lancerait peut-être les premiers jalons de relations plus amicales entre les deux pays. Nous acceptons. On nous précise que le village est si petit qu'il ne peut accueillir qu'un tout petit nombre de personnes pour m'accompagner. Pas de problème. Le 10 février 2001, j'arrive donc à Saint-Christophe, accompagnée d'un seul officier de sécurité, comme exigé par les Russes, du chef de la chancellerie de ma présidence, du sous-ministre letton des Affaires étrangères et de l'interprète officiel de notre chancellerie pour la langue russe. Je tenais absolument à ce qu'un représentant du ministère soit présent pour éviter toute suspicion de manigances secrètes avec la Russie, dans le genre de ce qu'on reproche au président Trump aujourd'hui.

« Il y a un monde fou dans le village : des vacanciers auxquels s'ajoutent les hommes chargés d'assurer la sécurité du président russe et de sa famille – ils étaient cent dix-sept hommes, semble-t-il. Nous arrivons à temps pour dîner, comme convenu. Mais, au lieu de nous asseoir à une table à manger, on nous introduit dans un petit salon où nous nous installons comme pour une rencontre officielle : une délégation d'un côté, une de l'autre. Pas de dîner ! C'est annulé. Le Président a changé d'avis. Je reste sur ma faim, c'est le cas de le dire. Face à moi, M. Poutine s'assoit avec le visage d'un maître d'école mécontent et, d'un grand geste dramatique, fait déposer devant lui un gros paquet de documents. Moi, j'étais venue les mains vides : le Kremlin avait insisté, cette rencontre ne comportait pas d'agenda officiel, et le dialogue aurait lieu sans recours à aucun document. Bon. On échange les politesses d'usage. Ces introductions formelles à peine achevées, M. Poutine amorce une longue litanie de plaintes sur la manière dont la Lettonie "maltraite ses habitants russophones". Ils sont affreusement tristes qu'il y ait une frontière et des passeports. "Quel malheur, me dit-il, qu'il y ait maintenant une frontière entre nos deux pays, là où auparavant il n'y en avait pas !" Je lui réponds que c'est une situation que les Lettons appelaient de leurs vœux depuis un demi-siècle et ils se réjouissent d'avoir enfin retrouvé l'intégrité territoriale de leur pays. Il enchaîne : "Quelle tristesse que tout le monde ne porte plus le même passeport et qu'il faille obtenir un visa pour traverser la frontière !" Je lui réponds : "En effet, lors des déportations de masse entre 1940 et 1949, des dizaines de milliers de Lettons, hommes, femmes, enfants, vieillards, ont traversé cette frontière gratuitement et sans leur passeport, entassés dans des wagons à bétail, pour être déposés dans les forêts vierges de Sibérie ou les mines du Grand Nord. Ils auraient préféré avoir un passeport à ce moment-là, et voyager autrement que dans des wagons à bétail. Et ils sont très contents aujourd'hui d'avoir un passeport qui leur permet d'aller de leur propre gré à Londres, Paris ou New York, plutôt que comme prisonniers à Omsk, Tomsk ou Vladivostok." Le visage du Président russe ! Il change d'expression d'un coup. Cela me rappelle une phrase de Boulgakov dans *Le Maître et Marguerite*, où il distingue la tête du poisson récemment pêché et celle du poisson de seconde fraîcheur. Depuis le début, M. Poutine me regardait avec les yeux morts d'un poisson de seconde fraîcheur. Vraiment pas pêché le matin même. Là, il comprend que j'ai compris : en annulant le dîner prévu et en ne suivant pas le format convenu d'avance, il a voulu me prendre au dépourvu, m'intimider et me mettre mal à l'aise. Le fait que je ne sois pas facile à intimider n'a pas du tout l'air de lui plaire. Il me regarde et m'évalue comme un insecte sous la loupe. Je fais exactement la même chose. Après tout, je suis psychologue moi aussi. C'est la fin de la réunion officielle. Il n'y a toujours aucune mention du présumé dîner que nous devions avoir ensemble. Seulement l'annonce d'une conférence de presse à tenir ensemble. Le Président demande alors un tête-à-tête et congédie le groupe. Même les interprètes nous laissent. Nous nous asseyons face à face derrière un rideau, lui et moi, et nous nous parlons directement en allemand. Dès lors, j'ai un homme complètement différent devant moi. Il a changé de tête. Boulgakov dirait que c'est celle de première fraîcheur. M. Poutine est ouvert, amical, les yeux pétillants. Il fait miroiter la possibilité d'une relation particulière, d'un échange privé de message entre nos émissaires, en attendant qu'au niveau officiel les relations deviennent meilleures. Je lui réponds que j'ai apprécié l'honneur de faire sa connaissance et que je suis prête à garder un contact direct entre les chancelleries, mais jusqu'à un certain point seulement. Après tout, en tant que Présidente de mon pays, je préfère arriver par l'entrée principale plutôt que par la porte de service. Je termine par une réitération de la bonne volonté lettone à améliorer, autant que possible, le climat politique entre nos deux pays. »

Ainsi s'achève la première rencontre entre Vladimir et Vaira. Un « dialogue amical », empreint d'agressivités aimables et de sarcasmes souriants. J'avoue que je n'ose pas dire à la Présidente qu'elle m'avait proposé de m'emmener déjeuner, elle aussi. Nous avons déjà passé plus de deux heures dans son salon, l'après-midi est bien entamé, mon estomac gargouille et je n'entends pas évoquer le moindre biscuit à grignoter. Mais elle est si passionnément lancée dans son récit que je ne veux pas prendre le moindre risque de l'en décourager. Ce serait dommage. Elle lève les yeux au plafond pour se remémorer les autres rencontres. Il y eut celle de mai 2003 à Saint-Pétersbourg, pour les trois cents ans de la fondation de la ville, puis celle du 9 mai 2005 à Moscou, pour le 60e anniversaire de la victoire sur le nazisme, où elle jette un froid en lançant aux généraux russes qu'elle regrette seulement qu'ils ne soient pas retournés chez eux après la fin de la guerre. Et ce dîner de septembre 2006 à New York, pour l'Assemblée générale des Nations-Unies. Comme toujours, lors du déjeuner traditionnel pour les chefs de délégation, la table d'honneur est composée autour du secrétaire général, Kofi Annan, et de George W. Bush, en tant que Président du pays hôte. Elle est ronde et elle comporte six places.

«Je suis invitée à la table d'honneur, raconte Vaira. Kofi m'invite à prendre place à sa gauche, Bush étant assis à sa droite. En face de moi, il y a le roi d'Espagne. À ma gauche, la chaise est encore vide. Et qui vois-je arriver? Mon ami Poutine, entouré d'un nuage de personnes, comme une corvette accompagnée de la flotte navale. Il s'approche, s'arrête en face de la table, regarde la place qui l'attend et que voit-il? Deux choses qui lui déplaisent: moi à sa droite, mais aussi qu'il est au-dessous de moi dans l'ordre protocolaire, puisqu'il est à ma gauche. Le visage de Poutine à ce moment est impayable. La stupéfaction la plus extrême, la consternation, et son effort pour tenter vainement de les cacher.

Je murmure à Kofi: – Vous l'avez fait exprès?

Kofi: – Mais oui! J'ai voulu vous donner une occasion d'améliorer vos relations amicales!

– *Thank you, Kofi. That's just priceless. Just that look on his face: that was the most unforgettable gift that anyone could give me.* (Merci Kofi. Cela n'a pas de prix. Rien que cette expression sur son visage, c'est le cadeau le plus inoubliable que j'aie jamais reçu.)»

Mais le plus beau des trois dîners ratés avec Vladimir eut lieu à Riga, à l'été 2006, pour le sommet de l'Otan. La Lettonie était le premier pays Balte à accueillir un sommet de l'Otan au nez et à la barbe de la Russie. L'obtenir n'avait pas été un long fleuve tranquille tant étaient grandes les peurs de froisser la susceptible Russie, et la Présidente a fait œuvre d'une diplomatie de haute voltige pour contrer les oppositions à ce projet. Le président Poutine était furieux. Pour diminuer les tensions, il fut décidé que le sommet serait réservé cette fois aux seuls membres de l'Otan. Le Président russe n'était donc pas convié à Riga, contrairement à d'autres sommets où il avait participé en tant qu'invité. Pour Vaira Vike-Freiberga, dont le pays était accepté dans le club de l'Union européenne et dans celui de l'Otan depuis seulement deux ans, ce sommet était un grand moment. Il commence mal, d'après son récit :

« Très peu de temps avant le sommet, on me communique des rumeurs selon lesquelles le Président français, Jacques Chirac, ne participera pas au sommet. C'est une telle énormité que je refuse d'y croire. J'appelle moi-même l'Élysée et la rumeur m'est confirmée : M. Poutine a appelé son grand ami Chirac au téléphone, pour l'informer qu'il comptait venir à Paris pour célébrer avec lui son anniversaire de naissance… Comme par hasard, l'anniversaire de Chirac auquel il tenait tant tombait au moment même où se tenait le sommet de l'Otan ! Peu soucieux de la solidarité d'une alliance dont la France est un membre important, M. Chirac est considéré que sa priorité était de rester à Paris pour recevoir son ami. Je ne me gêne pas pour rappeler que c'était là une bien faible excuse du Président français, avec pour effet de compromettre non seulement le sommet de Riga, mais aussi la fidélité de la France à l'Otan. Sans compter notre amitié : je suis censée être, moi aussi, sa chère et grande amie.

"Vous ne pouvez pas me faire un coup comme cela !" À l'autre bout du fil, ils sont visiblement gênés, me disent que rien n'est décidé encore, etc. Vu le sérieux de la situation, j'appelle directement mon ami Chirac. "Monsieur le Président, lui dis-je, il faut absolument que vous soyez à Riga pour le sommet de l'Otan. S'il s'agit de votre anniversaire, je vous promets que nous allons le célébrer aussi bien qu'à Paris, et même mieux. Dès votre arrivée, je vous accueillerai avec le meilleur gâteau d'anniversaire que vous ayez jamais goûté. Les meilleurs pâtissiers de la capitale vont se surpasser. Nous dînerons ensemble et le meilleur chef de la Lettonie vous préparera une tête de veau en bonne et due forme." Là, j'avais tapé juste. Mais je le sens qui hésite encore. Je réitère : "Vous savez, ce n'est pas seulement notre amitié personnelle qui est en question, quoique j'y tienne beaucoup, mais ce sera un geste politique de très grande importance."

« Avec l'appui de sa fille Claude, j'obtiens que M. Chirac confirme sa présence à Riga. Il vient au sommet, Dieu merci – j'ai d'ailleurs une belle photo souvenir où mon aide de camp en uniforme offre un gâteau géant à Chirac sous la tente officielle, juste après qu'il a fini de nous saluer avec le secrétaire général de l'Otan. Sous les caméras de télévision, M. Chirac a l'air un peu gêné, mais il accepte avec grâce. Mais entre-temps, Poutine n'abandonne pas ses efforts. Le coup de l'anniversaire ayant échoué, il a essayé autre chose. Maintenant, il s'agirait pour M. Chirac de quitter Riga avant la fin du sommet,

MON EUROPE : JE T'AIME, MOI NON PLUS

pour aller dîner avec son ami qui l'invite à Moscou. Autant j'ai dissuadé Chirac de rester à Paris pour recevoir Poutine, autant je lui déconseille vivement de se rendre à Moscou après le sommet : ce serait un scandale diplomatique – c'est précisément ce que veut Poutine, bien sûr. "Par contre, lui-dis-je, si vous tenez absolument à partager votre fête avec votre fidèle ami, qu'à cela ne tienne : j'invite M. Poutine à faire une visite privée à Riga. Ainsi nous célébrerons votre anniversaire tous les trois ensemble." Accord donné. Nous transmettons donc une invitation au Kremlin : M. Poutine sera le bienvenu dès la fin du sommet, en fin d'après-midi de la deuxième journée, après que les avions des chefs d'État et de gouvernement auront décollé de l'aéroport de Riga. Le Président russe sera le bienvenu pour venir dîner avec la présidente lettone et son cher et grand ami Chirac pour célébrer l'anniversaire de ce dernier. Alors commence une danse des chancelleries, entre le Kremlin et le château de Riga. L'Élysée ne s'en mêle pas. Question numéro un : où va se tenir le dîner ?

– Au château de Riga.

Les Russes :

– Ah non, c'est trop officiel.

– Alors à la résidence de la Présidente, au bord de la mer. C'est une belle bâtisse construite du temps soviétique pour les officiels soviétiques.

– Non, c'est trop officiel.

– Alors un lieu neutre : l'immeuble des Têtes noires, devant l'hôtel de ville. Un beau bâtiment médiéval, reconstruit, érigé à l'origine par la Guilde de saint Maurice. (On faisait nos dîners d'État là-bas quand le château n'était pas encore réparé.)

– Hélas, il y a un problème avec l'emplacement de cet immeuble. (Nous comprenons tout de suite pourquoi : l'immeuble des Têtes noires est juste à côté du musée de l'Occupation, qui détaille les horreurs des deux occupations – nazie et soviétique – en Lettonie.)

– Alors nous proposons le siège de la Société lettone de Riga : c'est un immeuble construit il y a cent cinquante ans, quand Riga était encore aux mains des marchands allemands.

– Non, cela fait trop patriotisme letton. L'ambassade de la Russie serait mieux.

– L'ambassade russe ? Pas question. C'est trop officiel.

– Le Kremlin propose un restaurant arménien à Riga, réputé pour sa bonne cuisine.

– Surtout pas ! Je suis présidente de la Lettonie, nous sommes à Riga, je suis la maîtresse de maison. Si je reçois des invités de si haut rang, je veux qu'ils arrivent par la porte principale, pas par une porte de cuisine, quelle qu'elle soit. »

Il a fallu se résoudre à l'évidence : avec toute la bonne volonté du monde, entre les Russes et les Lettons, aucun lieu de compromis ne s'avérait possible. Le si amical dîner d'anniversaire à trois de Vladimir, Jacques et Vaira n'eut jamais lieu. Le Kremlin avait pourtant envoyé toute une équipe officielle de préparation, qui s'est promenée à travers Riga, supposément pour examiner les lieux potentiels du dîner, et peut-être, qui sait, prendre des notes sur d'autres sujets en passant. M. Chirac est reparti pour Paris. Avec tristesse et un motif de regret pour le Président français qui l'emportait sur tous les autres : le chef letton avait trouvé, non sans mal, une magnifique tête de veau.

La ruse et la déstabilisation sont un des jeux préférés de Vladimir Poutine. « Il n'a jamais renouvelé les vieilles méthodes soviétiques », peste la Présidente lettone. Angela Merkel en a fait elle aussi l'expérience savoureuse. Lors d'un des entretiens préparatoires avec le Kremlin en amont de leur première rencontre, un conseiller de la chancelière avait eu la naïveté de demander à son homologue russe que l'on prenne soin d'éloigner Koni, le labrador du Président : elle avait été gravement mordue par un chien quelques années auparavant et en avait développé une phobie. L'information est aussitôt transmise au patron, qui n'en demandait pas tant : lors de leur première rencontre à Moscou, peu après l'élection de la dirigeante allemande, Vladimir Poutine avait discrètement disposé sur le canapé, entre eux deux, un chien en peluche. Pour leur deuxième rencontre à Sotchi, quelques mois plus tard, il avait pris un grand plaisir à oublier la consigne et à inviter Koni à venir dire bonjour à la dame. Une photo a immortalisé la scène du labrador noir dirigeant une truffe affectueuse vers

Angela qui se recule sur sa chaise, raide et crispée, tandis que Vladimir observe la scène avec une jouissance perverse non dissimulée. Pendant la réunion, le chien passait sous les tables et lui frôlait les jambes. Un grand succès : la chancelière était déstabilisée. En sortant, elle a dit à ses conseillers : « Je les connais par cœur, lui et ses méthodes : se renseigner sur les faiblesses de quelqu'un et les utiliser, c'est typique du KGB.»

Si les méthodes de Vladimir sont les mêmes que celles qu'il avait acquises pendant ses années d'entraînement dans les services de renseignement soviétiques, son objectif ne diffère pas non plus de celui de l'ancienne URSS : avoir la peau de l'Union européenne. Cette puissance-là est gênante. Elle se montre bêtement attachée aux droits de l'homme, au respect des minorités et des valeurs démocratiques. Ses membres sont les alliés naturels de ceux de l'Otan. Elle empêche le plus grand pays de la planète de négocier des accords en bilatéral avec les petits États européens, qui individuellement seraient en position de faiblesse face à elle. Et surtout elle a le mauvais goût d'infliger des sanctions économiques à la Russie quand celle-ci décide de s'approprier la Crimée et le Dombass, des régions situées dans les limites territoriales de l'Ukraine et reconnues internationalement – y compris par la Russie elle-même. Le Président Poutine n'a donc pas attendu Steve Bannon pour aider de son côté les partis populistes européens. Il a théorisé sa volonté de détruire l'UE et mène une guerre d'influence à travers ce que le Kremlin appelle les « entreprises stratégiques » : les médias. Il a soutenu le parti allemand d'extrême droite AfD ainsi que le Brexit pendant la campagne du référendum en manipulant les opinions, à travers des comptes Twitter, des détournements de données et des soupçons de financements indirects, sans compter les sites d'information RT et Sputnik, arsenal de l'État russe. Ses services étaient intervenus de manière équivalente dans l'élection présidentielle américaine en faveur de Donald Trump. Il s'est déplacé en Autriche spécialement pour le mariage de la ministre des Affaires étrangères et danser une valse avec elle dans un décor bucolique, devant les yeux éblouis du chancelier conservateur Sebastian Kurz et du vice-chancelier d'extrême droite Heinz-Christian Strache. Il finance la Ligue du vice-Premier ministre d'extrême droite italien, Matteo Salvini, qui se vante de leur relation privilégiée. Inquiet du cafouillage ahurissant des Britanniques, incapables de se mettre d'accord sur la sortie de l'UE, Vladimir Poutine a profité de sa conférence de presse annuelle, le 20 décembre 2018, pour encourager la Première ministre britannique, Theresa May, à « se battre pour le Brexit » et à bien « respecter la volonté du peuple exprimée dans le référendum » – une leçon de démocratie appréciable de la part d'un Président dont les opposants politiques ont coutume d'être emprisonnés ou de finir leurs jours mystérieusement assassinés. Le Président russe a même ses accès dans l'enceinte du Parlement européen : la fille de son porte-parole Dmitry Peskov y a travaillé dans la précédente mandature comme stagiaire d'un eurodéputé ex-Front national – Aymeric Chauprade, lequel a soutenu publiquement l'annexion de la Crimée par la Russie. Les stagiaires ayant accès à toutes les salles et réunions du Parlement, et dans la mesure où ce M. Chauprade était alors membre de la commission des Affaires étrangères et de la sous-commission pour la Sécurité et la Défense, nul doute que les informations recueillies par Yelizaveta Peskova ont été très appréciées par la famille.

Le même Poutine s'est aussi penché de très près sur la campagne présidentielle française de 2017. Les sites RT et Sputnik se sont répandus en rumeurs diffamatoires sur le plus proeuropéen de tous les candidats, Emmanuel Macron, et promu le plus prorusse, le conservateur François Fillon. Le Président a clairement pris parti pour lui, puis, une fois celui-ci éliminé, pour Marine Le Pen, qu'il a reçue au Kremlin avec les égards d'une quasi-homologue. En la candidate d'extrême droite, dont le parti avait bénéficié des prêts d'une banque russe, le Président a trouvé le pilier de l'Europe future à laquelle il aspire: «Je sais que vous représentez un spectre politique en Europe qui se développe assez rapidement», lui a-t-il dit. En France, les amis politiques de Vladimir sont de genres assez variés, de l'extrême droite à l'extrême gauche, en incluant la gauche et la droite gaullisto-souverainiste. Mais le vrai dénominateur commun qui rapproche du Président russe ces groupes épars qui ne se fréquentent pas nécessairement et souvent se détestent entre eux, c'est leur volonté commune de torpiller l'Union européenne. Sur les cinq principaux candidats finalistes à l'élection présidentielle (Macron, Hamon, Fillon, Le Pen, Mélenchon), trois d'entre eux (Fillon, Le Pen et Mélenchon) considéraient que l'annexion de la Crimée par la Russie et les opérations militaires en Ukraine étaient légitimes.

La fabuleuse histoire de Vladimir et Vaira ne se terminera vraisemblablement pas par un mariage et beaucoup d'enfants, mais leur conte a une morale : dans le paysage politique européen, le soutien ou l'hostilité à l'Union européenne se structure autour du soutien ou l'hostilité à la Russie. La sympathie pour Vladimir Poutine est un marqueur et l'un des signes de ralliement des populistes, là où l'extrême droite et l'extrême gauche se rapprochent et se confondent. Ce n'est donc pas étonnant si Jean-Luc Mélenchon se montre indulgent envers les opérations militaires de Moscou, tout en s'en prenant de manière insistante aux Baltes qu'il exclut du « peuple européen » et avec qui il ne se sent « rien de commun ». « On traiterait de frères de lointains Lituaniens sous prétexte qu'ils sont chrétiens ? Ce n'est pas mon histoire », a-t-il déclaré en 2017 dans l'hebdomadaire *Le 1*, oubliant au passage que la Lituanie est l'exact centre géographique du continent européen, et que le Grand-Duché de Lituanie fut jadis l'un des plus grands empires d'Europe. L'ancien ministre socialiste passé à l'extrême gauche s'était également illustré en 2005 devant une caméra de télévision en déversant son mépris à l'égard des pays de l'élargissement : « Eh ben qu'ils aillent se faire foutre ! Les Lituaniens, t'en connais un, toi, de Lituanien ? J'en ai jamais vu un, moi. » En amitié avec leurs voisins lituaniens, l'ensemble des pays de l'ancien bloc soviétique apprécieront l'invective, eux qui ont été admis à rejoindre le club envié de l'Union européenne, après des années d'efforts pour satisfaire à nos critères et avoir droit autant que nous à la paix, à la stabilité et à la prospérité. La Lettone Vaira Vike-Freiberga appréciera aussi, elle qui est Européenne depuis plus longtemps que Jean-Luc Mélenchon et dont le pays, situé à la frontière de l'UE et de l'Otan, a davantage que lui l'expérience de la Russie.

10

Macron s'est arrêté à Visegrád

Il y a quelque chose d'étrange à regarder la France dans un train de Bratislava à Budapest. J'étais venue observer les ferments de la démocratie « illibérale » fièrement revendiquée par Viktor Orbán et défiée par Emmanuel Macron, sur ces terres d'Europe centrale ballottées d'un totalitarisme à l'autre et accablées par l'Histoire : humiliées par le traité de Versailles après la Première Guerre mondiale, absorbées par le nazisme, kidnappées par l'empire soviétique, elles ont à peine eu le temps de humer le goût de la liberté qu'elles se jetaient après la chute du Mur dans les bras de nouveaux autocrates nationalistes, habiles à installer leur pouvoir en jouant sur les peurs et les ressentiments.

J'étais venue dans cette Europe centrale gagnée par le populisme avec mes yeux de Française privilégiée, née du bon côté du rideau de fer et dans l'euphorie des années 1960. J'étais venue de cette France fière d'être la patrie des droits de l'homme et d'appartenir au club de ces « vieilles démocraties » qui font aisément la leçon aux « nouvelles » – comme se l'était permis le président français Jacques Chirac, déjà cité, les accusant d'« avoir perdu une bonne occasion de se taire » lorsque celles-ci avaient osé opter pour la guerre américaine en Irak. J'étais venue avec mon regard de vieille démocrate européenne, pour discuter avec les habitants de cette Europe centrale où une majorité se met à élire des dirigeants opposés à nos valeurs de libertés publiques, de tolérance aux différences, d'équilibre entre les pouvoirs, d'égalité entre les hommes et les femmes – à ce qui fait encore la force et l'unité de l'Europe. J'étais venue de ma République ancienne gouvernée par un jeune président démocrate et libéral qu'une bonne partie du monde nous envie. J'éprouvais affection, tristesse, inquiétude – pour eux, qui n'avaient pas la chance de vivre chez nous.

Dans le Bratislava-Budapest, j'ai commencé à lire sur mon portable les événements du week-end en France. C'était le 18 novembre 2018, le lendemain de la première journée de blocage des ronds-points par les Gilets jaunes. Je regardais ce qui émergeait de leurs revendications communes. Le sentiment d'être dépossédés, non seulement de leur pouvoir d'achat mais aussi de leur pouvoir de décision. Je regardais la colère et la détresse, bien réelles, d'une classe moyenne et populaire rejetée hors des villes gentrifiées, piégée par la disparition des services publics et commerces de proximité qui rend dépendant du prix du diesel, poussée à bout par une vie réduite à une peau de chagrin. Cette France qui vit à un euro près, laissée au bord du chemin, qui avait de bonnes raisons de faire entendre sa voix. Je voyais aussi l'expression politique d'une violence haineuse, poujadiste, raciste, homophobe, pas encore aussi clairement antisémite et fascisante qu'elle le deviendra par la suite. Je voyais revenir la grande union des leaders populistes d'extrême gauche et d'extrême droite pour les soutenir sans réserves, de Marine Le Pen à Nicolas Dupont-Aignan ou Jean-Luc Mélenchon, en passant même par le patron du grand parti de la droite républicaine, Laurent Wauquiez. Je voyais un phénomène qui n'est pas propre à la France, le même qui a aussi conduit la majorité des Britanniques à voter pour le Brexit ou un nombre d'Américains suffisant à porter Trump au pouvoir : celui d'une société coupée en deux, entre les villes et leurs périphéries, entre les élites et les autres, entre les gagnants et les perdants de la mondialisation, entre les « Somewhere » et les « Anywhere », entre les quelque part et les n'importe où. Une société au bord de l'explosion, faite de ressentiments accumulés et d'une radicalisation qui s'amplifie d'année en année : l'« effet Serpolette », celui de la petite poubelle du conte dont j'ai parlé plus tôt, et qui m'est revenu à l'esprit au terminus du train, dans le bureau du ministre hongrois de la Justice.

Le train a fait un arrêt à Visegrád, cette ville où est né en 1991 le groupe informel réunissant la Hongrie,

la Pologne, la République tchèque et la Slovaquie.
Tout juste échappés de la domination soviétique subie
pendant plus de cinquante ans, ces pays voulaient
promouvoir leur adhésion à l'Union européenne,
promettaient d'installer des régimes politiques démocratiques et d'instaurer la libéralisation des marchés.
Alors qu'ils sont maintenant tous membres de l'UE
et de l'Otan, leur petit groupe est le plus enclin des
pays d'Europe au repli nationaliste et il reconstitue
son unité en se liguant contre toute solidarité européenne vis-à-vis des migrants. Ils sont allés rendre
visite ensemble à Benjamin Netanyahou, partageant
avec l'extrême droite israélienne la terreur des musulmans – bien que la Pologne, n'ayant toujours pas
réglé ses comptes avec l'antisémitisme, ait annulé sa
participation. C'est ce groupe de Visegrád qu'Emmanuel Macron a montré du doigt pour l'exemple, en
faisant la nouvelle ligne de partage en Europe entre
« nationalistes et progressistes », dénonçant à travers
eux la « lèpre populiste et nationaliste » qui monte en
Europe. Mais, en France, le jeune président si plein
d'assurance qu'il se prenait pour Jupiter a perdu la
main. Quand j'ai commencé ce livre, il était encore
le chevalier blanc plein de lyrisme pour le projet
européen, celui qui avait prononcé à la Sorbonne un
discours de leader à côté duquel l'Allemagne d'Angela Merkel semblait à la traîne. En gare de Visegrád,
mon inquiétude a changé d'objet. Où est la lèpre ? À
l'Est ou à l'Ouest ? Je fixais ce panneau de Visegrád,
je regardais le point bleu qui marquait ma position

sur l'iPhone, tout au nord de la Hongrie, près de la frontière slovaque. On ne peut pas faire plus au milieu de l'Europe. Ça me faisait rêvasser. Je voyais la haine et la radicalité pointer chez les Gilets jaunes, la révolte sans objectif, l'antiparlementarisme, l'exclusion de ce qui n'était pas eux, une forme de totalitarisme naissant, la démocratie vacillante. Je me répétais « Macron s'est arrêté à Visegrád », cela sonnait comme *Le Christ s'est arrêté à Eboli*, le titre du roman superbe de Carlo Levi. Il a lieu dans les années 1930, dans un petit village d'une région abandonnée du sud de l'Italie où l'auteur avait été envoyé en résidence surveillée, pour activités antifascistes. Les paysans y sont misérables, résignés, accablés par leur vie sans horizon. Ils ont une expression pour dire leur désespoir : « Nous ne sommes pas chrétiens. Le Christ s'est arrêté à Eboli. »

Pour ceux qui comme moi ne voient pas d'autre solution que l'Europe unie pour exister dans un monde globalisé, face à une Chine qui nous menace, des États-Unis qui ne nous soutiennent plus et une Russie qui ne nous veut pas de bien, Emmanuel Macron est tombé du ciel. En 2017, le feuilleton rocambolesque de l'élection présidentielle française s'était resserré jusqu'à la possibilité d'un duel final entre Marine Le Pen et Jean-Luc Mélenchon, deux populistes sociaux-nationalistes plus semblables qu'ils ne sont différents, notamment sur leur détestation commune des élites et de l'Union européenne. Celui qui l'a emporté est cet ovni réformateur sans parti ni base politique, dont la candidature faisait ricaner les meilleurs experts. Le seul à apporter dans un paysage politique moribond une alternative de valeurs optimistes, contre les partis populistes qui se nourrissent de leur haine du système et des élites. Il a réussi cet exploit fou : conquérir l'Élysée en plaçant au cœur de son programme l'Europe, thème peu populaire et à haut risque. Un an après, le carrosse est devenu citrouille. Les Présidents sont souvent plombés par un péché originel. Sarkozy est resté marqué par son séjour initial à bord du yacht du milliardaire Vincent Bolloré, Hollande par son matraquage fiscal. Macron se retrouve face à une crise majeure pour avoir oublié, paradoxalement, son « en même temps » : ses cadeaux fiscaux aux riches investisseurs (*flat tax* sur le capital) n'ont pas été compensés par les mesures prévues en faveur des plus pauvres. Le Président les a oubliés. Il n'a pas mesuré à quel point ces derniers étaient au bout. Sa conception verticale du pouvoir et ses petites phrases sur « les gens qui ne sont rien » ou « je traverse la rue et je vous trouve un travail » n'ont rien arrangé. La révolte du diesel est l'expression d'un mal plus profond. Par assurance intellectuelle, par inexpérience politique, par l'hubris du héros solitaire, il s'est enfermé dans l'image de Président des riches. La France, qui préfère l'égalité à la liberté, lui revient en pleine figure. J'ai le sentiment d'un immense gâchis. La colère des Gilets jaunes a eu une vertu inestimable : celle de faire comprendre au Président de la République la France qu'il n'avait pas su voir. Depuis, il est sorti de sa bulle. Il a écouté le peuple et lui a répondu, seul face aux maires et aux citoyens, pendant des heures et des heures. Il est remonté dans les sondages. À temps ou trop tard? Le grand débat national conduira-t-il à une grande solution nationale? Jusqu'ici, le plus sincèrement européen et le plus antipopuliste des dirigeants que nous pouvions espérer est en train de renforcer le populisme en France. L'expérience de ses cousins centristes aux États-Unis, en Italie ou en Allemagne ne laisse pas présager le meilleur: Barack Obama a produit Donald Trump, Matteo Renzi a produit Matteo Salvini, Angela Merkel laisse la place au chaos avec l'éclatement des grands partis et le retour de l'extrême droite. Après Emmanuel Macron, quoi? Nous conduit-il vers un scénario à l'italienne? Le multilatéralisme disparaît, les grandes puissances s'affirment et l'Europe craque de partout au moment où nous avons le plus besoin d'elle. L'ironie de l'histoire est qu'il a fallu le Brexit pour que les Britanniques deviennent soudain ceux qui en ont le plus conscience. «J'entends toutes les colères», a dit Macron aux maires de France. Puisse-t-il savoir y répondre et ne pas devenir lui-même l'architecte de ce nationalisme tragique qu'il brandit comme une menace venue de Visegrád.

J'ai écrit cela à Budapest, pour un article paru peu après dans le quotidien britannique *The Guardian*. L'entourage du Président en avait été chiffonné, paraît-il, mais celui-ci a bien voulu me recevoir à l'Élysée pour ce livre en février 2019, en plein milieu de son marathon des « grands débats nationaux », face à la colère française, à une haine immense concentrée sur sa personne et à des actes de violence à l'encontre des députés comme on n'en avait jamais vu sous la Vᵉ République. Dans le bureau présidentiel, il a pourtant l'air en forme, détendu, content de parler. Pas le moindre signe de fatigue ou de tension, alors que la veille il a encore passé quatre heures à débattre avec les maires. Je l'interroge sur ce populisme dont il a tout à la fois voulu faire un ennemi et qu'il contribue malgré lui à alimenter. Il s'en était inspiré lui-même en partie, volontairement, par sa stratégie antisystème et hors partis qui était au cœur de son mouvement En Marche ! Il a voulu se passer des corps intermédiaires, notamment du plus grand des syndicats français, du plus apte à négocier et à faire le lien entre « les élites » et « le peuple », la CFDT.

Au-delà de l'affaire française, et d'autant plus depuis le référendum du Brexit, l'enjeu des élections de mai est un duel entre deux Europes : les libéraux progressistes contre les souverainistes anti-migrants. Quoi qu'on en dise, Emmanuel Macron est aujourd'hui, avec Angela Merkel, le dernier dirigeant d'un grand pays européen à porter les valeurs de la démocratie libérale et représentative. La France est dans l'œil du cyclone : au premier tour de l'élection présidentielle française, l'addition de l'extrême droite et de l'extrême gauche antieuropéennes totalisait au moins 50 % des votants, sans compter les abstentionnistes. 50 % : le même pourcentage de citoyens que celui recensé dans les sondages comme favorable aux Gilets jaunes, du moins dans les premières semaines du mouvement. Plus ou moins les mêmes. Selon une étude du Cevipof de février 2019, les soutiens au mouvement des Gilets jaunes sont majoritairement d'anciens électeurs de Marine Le Pen, de Jean-Luc Mélenchon ou des abstentionnistes. Mon entretien avec le Président de la République commence là.

– Êtes-vous mal tombé, arrivé à un moment critique de l'histoire où le ressentiment accumulé devait exploser, ou êtes-vous responsable de son déclenchement ? Êtes-vous victime ou coupable ?

– D'abord, je n'aime pas parler de populisme ou de national-populisme dans l'usage que vous en faites. Si populiste veut dire se passer du truchement des partis classiques pour aller vers le peuple, alors je suis populiste, et ce ne sont pas mes opposants qui le sont. Essayer de comprendre l'esprit et l'aspiration du peuple sans faire de démagogie – c'est-à-dire apporter des réponses faciles et attendues – est mon devoir. En revanche, si j'ai parlé de la lèpre nationaliste, c'est qu'il y a en effet un phénomène nationaliste, autoritariste, isolationniste, qui renaît dans nos sociétés. Il repose sur la haine de l'autre, nourri par la peur de l'autre. Ce phénomène regroupe des formes politiques historiques qui sont extrêmement hétérogènes, avec des intérêts profondément divergents et absolument sans aucune cohérence entre elles. Mais il y a un point commun qui est la volonté de détruire l'Europe, en l'accusant de tout. Il y a donc à l'œuvre un processus de fracturation de l'Europe, un retour vers des pulsations nationalistes, qui entraîne à son tour un rapport belliqueux entre les nations européennes ; cette crise est multifacettes. On peut avoir des désaccords avec le progressisme que je défends, mais il a au moins sa cohérence, alors qu'il y a à mes yeux une incohérence majeure chez ceux qui veulent détruire l'Union européenne : les solutions qu'ils prônent sont rarement compatibles les unes avec les autres. M. Salvini et M. Orbán peuvent s'allier pour bloquer ou lutter contre l'Europe, mais ils sont en contradiction sur des sujets essentiels.

– Ce mouvement que vous ne voulez pas nommer national-populiste, disons alors social-nationaliste, en êtes-vous aussi responsable ?

– Dire cela, c'est me mettre dans la catégorie de dirigeants qui sont là depuis quinze ou vingt ans. Je ne suis pas de cette génération et je n'ai pas fait carrière en politique. Je suis arrivé il y a à peine deux ans. J'avais vingt-cinq ans lorsque le FN est arrivé au second tour de l'élection présidentielle. Donc non, je ne crois pas que ce soit moi qui ai créé ce nationalisme ou ce mouvement : il était dans la société française et dans la vie politique française bien avant. Ce n'est pas moi qui ai amené les nationalistes là où ils sont aujourd'hui. Je dirais même que j'émane de cette situation, historiquement et politiquement, puisque j'ai peut-être vu, là ou d'autres refusaient de le voir, le fait qu'un nouveau clivage de la vie politique française se structurait sur d'autres lignes - en particulier entre les progressistes et les ultra-conservateurs, entre ceux qui croient à l'Europe et ceux qui n'y croient pas. Je crois que ces deux lignes de force sont très structurantes pour la vie politique nationale et européenne. C'est ce qui s'est vérifié en mai 2017 et c'est ce qui se confirme. J'assume parfaitement d'avoir émergé dans la vie politique française en dénonçant des ambiguïtés qui étaient mortelles pour l'efficacité et l'avancée du pays, et en étant clair et cohérent à partir de ce nouveau clivage. Tout cela va de pair avec des tumultes profonds. Je pense, comme le disent Marx ou Braudel, que ce ne sont pas les personnes ou les jeux politiques qui le structurent. Que ça vient de très loin et que c'est très profond. Ce qu'il nous faut essayer de comprendre, c'est quelle a été la sédimentation des grandes transformations ou des crises durables qui ont conduit à cette situation.

Il me demande quelques détails sur l'évolution de Viktor Orbán et sur ma conversation avec mon « avocat hongrois » devenu ministre de la Justice. Je lui épargne Serpolette, mais lui rapporte ses désillusions, ses déceptions et son ressentiment. Il réplique qu'il a entendu cette même colère lorsqu'il travaillait avec le philosophe Paul Ricœur, lors d'une rencontre avec l'intellectuel et homme politique polonais Bronislaw Geremek, grande figure de la dissidence au régime communiste. « Ce que vous dites du ministre hongrois de la Justice, poursuit le Président, je l'ai entendu il y a plus de quinze ans dire par Geremek à Ricœur avec beaucoup de force, et même de brutalité : "Vous ne vous rendez pas compte de tout ce que vous nous devez. Vous nous avez abandonnés en 1947. Les décennies passées de l'autre côté du Rideau de fer constitue votre dette." Je pense qu'on a sous-estimé le ressentiment qu'il y avait, pour plusieurs générations. On a sous-estimé la force des peuples et de l'histoire. »

Je cherchais une transition pour pouvoir m'entêter poliment sur ma première question, et voilà qu'il me l'apporte pile à point : le ressentiment.

– N'avez-vous pas oublié, ou négligé, cette partie de la France qui vit à un euro près ?

– Je pense qu'il y a plusieurs France et qu'on a insuffisamment réglé le problème des vies empêchées. Quand on a traversé le pays avec le mouvement En Marche !, avant la campagne, ces vies empêchées étaient ce qui ressortait le plus. Vous dites « à un euro près », mais cela va au-delà du monétaire. C'est le : « Je ne boucle pas la fin de mois parce que j'ai trop de dépenses contraintes et je suis à un euro près. », mais aussi : « Je n'ai pas le choix de », « Je suis bloqué dans ma vie », « Mon enfant n'aura pas une meilleure vie que moi », « Je n'y arrive plus parce que je dois me lever à 5 heures du matin pour aller travailler. » Toutes ces vies empêchées, bloquées, gênées, c'est ça, le cœur du problème de toute une partie du peuple français et c'était au cœur de la campagne que j'ai menée. Mais la réponse a été trop lente, trop limitée.

– Quelles responsabilités vous attribuez-vous dans ce qui se passe aujourd'hui ?

– Pour ce qui est des faits déclencheurs, encore une fois, je suis là depuis moins de deux ans. J'aurais pu essayer d'avoir recours à une habileté suffisante pour esquiver ces sujets. Je n'ai pas voulu le faire, parce que je pense qu'il faut aller au cœur des problèmes afin de les régler, pas les mettre sous le tapis. Mais vous savez, si je ne croyais pas dans la force du peuple, je n'aurais pas lancé ce grand débat national. Je pense qu'il y a très peu de responsables politiques qui auraient pris le risque de faire ça. Je suis frappé de voir l'écart entre ce que pensaient du Grand Débat, au moment où je l'ai lancé, nombre de responsables politiques et commentateurs, et la réalité de ce qu'il s'est produit : non seulement parce que les Français en ont l'appétit, mais surtout parce qu'ils se posent les vraies questions. Ce qui m'a porté pour partie à l'élection et ce qui se retrouve là, dans cette crise, et ce qui doit se retrouver dans l'impulsion à donner à l'Europe, c'est justement cette formidable impatience des peuples à ce qu'on redonne 1/ des solutions à leur vie quotidienne, 2/ un sens à leur existence, 3/ un projet collectif. C'est ça, le moment que nous vivons. C'est un moment qui est éminemment politique, qui ne se fait qu'avec le peuple et pour le peuple.

– Dans votre livre programmatique, *Révolution*, on dirait que ce sont les élites qui font l'histoire. Les classes populaires n'y sont pas présentes.

– Non. Je crois très profondément le contraire.
C'est marrant, cette manie, quand on parle du peuple,
de vouloir en faire des catégories. C'est un sociolo-
gisme qui met à distance. Le peuple est un tout, les
gens ne raisonnent pas, en se disant : « Moi, je suis la
classe populaire », « moi, je suis la classe moyenne »...

– Ben, si ! Moi, par exemple, je dis que je suis la
classe moyenne. Et les Gilets jaunes, ils disent qu'ils
sont le peuple. Et au passage, d'ailleurs, ils m'en
excluent. Ils considèrent que je suis l'élite et que je ne
suis pas le peuple. Vous, encore moins.

– C'est « cette foule qui souvent trahit le peuple »,
comme disait Victor Hugo. Je ne crois pas du tout ceux
qui disent : « Je suis le peuple, je suis le peuple... » Le
peuple s'exprime de manière souveraine au moment
des élections. Nous ne sommes pas dans un régime
autoritaire. On a au contraire un des systèmes où il
y a le plus d'équilibre. Donc les gens qui disent : « Je
représente une minorité qui perd à toutes les élections mais c'est moi le peuple »... Non. C'est une part
du peuple, sans doute très sincère, mais ce n'est pas
le peuple. Et le peuple est pluriel. Regardez les problèmes que pose le Brexit aux Britanniques. Le peuple
a choisi quelque chose que ses représentants ne savent
pas mettre en œuvre. C'est une aporie démocratique
britannique. Cela a montré par ailleurs la difficulté à
laquelle sont confrontées toutes les démocraties, et
je dis ça avec beaucoup d'humilité, pour combiner
les volontés plurielles dans un contexte où toutes les
manipulations de l'information sont possibles, où

toutes les simplifications sont utilisées et dévoyées. C'est cela que l'on observe avec le Brexit.

Avant de monter dans le Bratislava-Budapest, j'avais pris l'avion depuis l'Écosse, non sans une certaine stupéfaction : je me demandais par quel miracle j'avais pu trouver un vol direct entre Édimbourg et Bratislava et pour quelle raison il pouvait bien exister. Il y a seulement trente ans, qui aurait imaginé de tels échanges entre ces villes qui ignoraient mutuellement leur existence ? En arrivant au centre-ville de la capitale slovaque, je suis vite tombée sur la réponse. Le premier café que j'ai trouvé s'appelle le *Lochness Scottish Pub*. Et son concurrent, juste à côté, le *Dubliner*. En deux pubs et une ligne d'avion – exploitée par l'entrepreneur irlandais Michael O'Leary, cynique et astucieux fondateur de la compagnie *low cost* Ryanair –, j'avais un aperçu de la nouvelle Europe réunifiée que l'on avait voulu construire. Ou peut-être la carte postale d'une histoire en train de finir. Les travailleurs de l'Est ont afflué, surtout en Irlande et au Royaume-Uni, les deux seuls pays avec la Suède à accueillir alors ces ressortissants sur le marché de l'emploi sans conditions limitatives. Dès 2010, dans la campagne irlandaise, j'avais été surprise d'entendre lancer à l'égard des Polonais des propos racistes, peu habituels dans cette région paisible. « *Poles, go home !* » Les inventeurs du Brexit en ont fait leur miel, manipulant sans scrupule la confusion entre les ressortissants de l'Union européenne et des hordes fantasmées de Turcs et de Syriens. En 2004, nous n'imaginions pas les effets de cette période où l'Est et l'Ouest se sont mélangés, de l'enthousiasme au rejet, de l'élargissement au Brexit.

L'élargissement : le nœud gordien des contradictions de l'Europe, le motif majeur par lequel se sont aggravées l'hostilité envers Bruxelles et la montée du national-populisme. Le principal élargissement de l'Union européenne, en 2004, posait d'emblée un problème insoluble : comment continuer à penser un projet politique européen et « l'Union sans cesse plus étroite » prévue dans l'article premier du traité de Maastricht, en faisant passer de quinze à vingt-cinq (puis à vingt-huit) le nombre des États membres ? À l'inverse, comment moralement exclure du club européen, pour la deuxième fois dans l'histoire, les pays tombés du mauvais côté du Rideau de fer ? Le piège menaçait, il s'est refermé sur un double ressentiment : celui de l'Europe centrale et orientale, qui s'est sentie deux fois abandonnée. Celui de l'Europe occidentale, bousculée dans le confort de son état social avec l'ouverture du marché aux travailleurs des pays de l'Union. « Depuis quinze ans, c'est-à-dire depuis l'élargissement, l'Europe ne sait plus où elle va, dit Emmanuel Macron. L'Europe a eu un projet de paix et de prospérité, ensuite elle a eu un projet de réconciliation et d'élargissement – qui je pense a échoué –, et maintenant elle ne sait plus quel est son projet. On vit une crise de vocation. »

J'ai eu l'occasion d'en parler avec l'un des acteurs principaux de l'élargissement, Tony Blair, à l'occasion d'une série d'entretiens avec lui, en 2017 et 2018. L'ancien Premier ministre britannique a en partie inspiré Emmanuel Macron par son concept politique d'une troisième voie sociale-libérale – un projet de gauche adapté à la réalité de la mondialisation, entre la social-démocratie et le libéralisme, visant à favoriser les entreprises et à dynamiser la création de richesses pour les redistribuer au plus grand nombre. Il est le plus européen de tous les dirigeants que le Royaume-Uni ait jamais eus. Le seul à avoir envisagé de faire entrer son pays dans la zone euro, le seul à avoir eu de l'Union européenne une vision politique, et pas seulement économique, ce qui n'est guère partagé dans cette nation de marchands. « Nous avons signé la Charte sociale européenne et j'ai contribué personnellement à poser les fondements d'une politique européenne de défense en 2000, me dit-il. L'Europe ne doit pas être seulement un marché, mais un projet plus large qui prenne en compte la dimension sociale du marché. » Le problème est que, même à l'époque, il était le seul Britannique à le penser. Le second problème est qu'il a lui-même contribué à construire la machine incontrôlable qui s'est retournée contre nous : pour faire accepter l'idée d'Europe à des Britanniques génétiquement réticents, Tony Blair et ses prédécesseurs ont favorisé la construction de la plus grande zone de libre-échange du monde : 500 millions de

191

consommateurs ! Plus grande encore que l'Amérique ! Mais la fameuse directive Bolkestein, qui permettait « à un plombier polonais ou à un architecte estonien » de travailler ailleurs au salaire et aux règles de son pays d'origine, a cristallisé fureurs et polémiques. Le non au référendum de 2005 en France lui doit beaucoup.

L'idée de l'élargissement était belle et nécessaire, mais elle reposait sur un malentendu : quinze ans plus tard, le processus de décision politique est paralysé par des États trop nombreux et divisés. Les pays de l'Est, essentiellement proaméricains, voulaient retrouver le camp de l'Occident sans pour autant intégrer l'idéal européen des pays fondateurs, ils voulaient l'Otan plus que l'UE, ils voulaient l'Europe mais pas « une Union sans cesse plus étroite », ils voulaient rejoindre le club des démocraties mais pas une entité européenne dissociée des États-Unis sur la scène mondiale – ils l'ont montré lors de la guerre en Irak. Quant aux Britanniques, ils se sont toujours sentis à part, pour ne pas dire supérieurs. Ajoutez une dose de crise financière : les passions tristes se réveillent, les populistes s'en emparent, le nationalisme xénophobe revient en force. Paradoxalement, l'Europe que détestent aujourd'hui les partisans du Brexit est celle de cet immense marché régulé qu'ils ont voulu eux-mêmes construire. Effacement de l'Europe politique au profit d'une Europe-marché, immigration de main-d'œuvre à bas coût : les deux terreaux du populisme d'aujourd'hui. Emmanuel Macron a poussé l'Union européenne à en prendre le contre-pied aujourd'hui, en donnant un caractère plus social à la directive sur les travailleurs détachés. « Quand Jacques Delors présidait la Commission européenne, dit le Président, il y avait, un vrai "En même temps" européen, si je puis dire : un principe d'ouverture et de solidarité, et en même temps un principe de convergence et de responsabilité. À partir du début des années 1990, cela s'est effrité : l'Europe est devenue de plus en plus ultralibérale, avec une logique de marché et plus de projet. Or je tiens beaucoup à cette distinction : un marché, ce n'est pas un projet : c'est un cadre, mais ça ne dit pas où ça va. Ce qui s'est passé il y a trente ans, c'est l'accélération dans une Europe plus ouverte d'une dynamique de mercantilisme, au sens classique du terme. La finalité est devenue de plus en plus d'ouvrir et d'enlever les barrières, pas de savoir quelles étaient nos préférences collectives. On a vu le débat qu'a donné en France la directive Bolkestein. Ironie de l'histoire, les Britanniques et quelques autres, à l'époque, se moquaient de nous : "Ah ! Vous avez peur du marché ! Vous ne voulez pas l'ouvrir ! Mais pourquoi voulez-vous empêcher les gens de circuler librement ?" Le retour de flamme est violent et il a conduit les Britanniques au Brexit. »

Qu'a-t-on mal fait ? A-t-on eu tort d'élargir l'UE si vite et si amplement en 2004 ? demandai-je à Emmanuel Macron. « Je pense qu'il aurait fallu que l'Europe fonctionne mieux avant de l'élargir, mais c'est trop facile de refaire les courses avec le résultat du tiercé. » A-t-on eu tort d'élargir l'Union européenne si vite et si amplement en 2004 ? demandai-je à Tony Blair. « Le contexte était différent, répond-il. En 2004, l'économie était en plein essor. Si j'avais été au pouvoir ces dix dernières années, j'aurais durci les règles de l'immigration : elle reste souhaitable et nécessaire, mais il faut entendre l'anxiété qu'elle suscite et la réguler. Quant à l'élargissement, vous imaginez les pays de l'Est laissés à l'écart, avec l'émergence du nationalisme russe ? Ils auraient été plus vulnérables, et nous aussi. » Même en connaissant « le résultat du tiercé », il referait les courses de la même manière : « L'Europe devait procéder à l'élargissement, et pour des raisons politiques, pas seulement économiques. Ancrer l'Est dans la famille européenne et dans l'Otan nous a garanti, à eux comme à nous, la prospérité et la sécurité. Leur situation aujourd'hui est incomparablement meilleure à celle d'avant leur entrée dans l'UE et je suis sûr qu'ils joueront un rôle positif dans l'Europe de demain. »

Tony Blair est toujours aussi optimiste, souriant et bronzé, en bras de chemise dans les bureaux modernes de l'institut qu'il a fondé pour soutenir les démocraties dans le monde globalisé. Sa courtoisie et sa gaieté résistent aux coups et aux années. La majorité des Britanniques ne l'aime pas : l'ancien Premier ministre trois fois élu trimballe avec lui le spectre de la guerre américaine en Irak à laquelle il a associé son pays et qu'on lui renvoie à chacune de ses prises de parole, souvent visionnaires. Ils ne l'aiment pas non plus parce que, fondamentalement, cet Européen viscéral ne leur ressemble pas, à eux qui n'ont jamais voulu l'Europe que du bout des lèvres et en réclamant des dérogations pour tout – y compris la plupart des Remainers qui se réveillent soudain aujourd'hui. «L'ironie, explique-t-il, est que les Brexiters reprochent maintenant à Bruxelles les deux initiatives que la Grande-Bretagne avait elle-même voulues et favorisées : le marché unique et l'élargissement, qui ont été mis en place par Thatcher, puis Major, puis moi. L'immigration d'Europe de l'Est a provoqué des inquiétudes, c'est vrai, mais cela pouvait être réglé dans l'UE sans recourir au Brexit. Les Brexiters ont déclaré vouloir "reprendre le contrôle", mais je ne me souviens pas d'une seule fois où j'aie été obligé d'appliquer une loi imposée par Bruxelles. Ils veulent une "Grande-Bretagne mondiale", alors que seule l'Union européenne peut être mondiale face aux trois géants économiques que sont les États-Unis, la Chine et l'Inde.» Ces contradictions illustrent selon lui l'impasse d'aujourd'hui. «Ce qui a conduit au Brexit, c'est une représentation falsifiée, tragique, de la réalité. Il y a chez les Brexiters deux groupes irréconciliables : ceux qui ont peur de la mondialisation et ceux qui ont peur d'une Europe trop socialiste. Si le Brexit a lieu, cette coalition éclatera.» Il ne pouvait mieux dire : l'avenir lui donne déjà raison.

L'année suivant l'élargissement, un autre piège se refermait sur l'Union européenne : le traité constitutionnel. Concocté par une équipe d'experts de tous les pays autour de Valéry Giscard d'Estaing, il n'ajoutait rien à la communauté existante qu'une fusion des traités antérieurs mais portait une valeur politique et symbolique forte. En choisissant de le faire ratifier par référendum plutôt que par le Parlement, le Président français Jacques Chirac a pris un risque inutile et absurde, tout aussi bêtement répété par le Britannique David Cameron, quelque dix années plus tard. Le projet de Constitution européenne était le sujet rêvé pour ouvrir la voie aux fantasmes et aux opportunistes. Il a permis aux cyniques de jouer la carte politique qu'ils avaient perdue – le socialiste Laurent Fabius s'étant alors distingué comme un maître du genre. Il a scellé pour de bon l'alliance objective de l'extrême droite et de l'extrême gauche, ce « vertige social-nationaliste » antieuropéen repéré par le politologue Dominique Reynié, qui a toujours de beaux jours devant lui. Le 29 mai 2005, jour de référendum sur le traité constitutionnel européen, le non gagne, la France se fracture et l'Europe se suicide. Tous les ingrédients sont là et à gauche comme à droite, les mots sont les mêmes : mystification du peuple contre le parlementarisme, haine de l'« oligarchie », de la « bureaucratie » ou de la « technocratie », de « Bruxelles », tropisme poutinien. La « peuplecratie » l'emporte sur la démocratie, selon la formule de l'historien et politologue Marc Lazar. Les Pays-Bas enchaîneront par leur non une semaine plus tard, mais l'affaire est déjà actée : le 29 mai 2005, on a posé la première pierre du populisme sous sa forme actuelle.

Les années suivantes consistent à coller des rustines, mais en voulant réparer le radeau, on l'enfonce un peu plus. Pour laver la réputation désastreuse qu'a gagnée la France auprès des autres États membres, le Président Nicolas Sarkozy met en œuvre une promesse de campagne : l'idée d'un minitraité, simplifié et pas constitutionnel, qui sera signé par tous les chefs d'État et de gouvernement à Lisbonne, puis ratifié par les parlements nationaux. Tony Blair et Angela Merkel en sont à ses côtés des artisans actifs. L'Allemande, très attachée aux textes précis et qui obligent, voulait clarifier le flou laissé par le « non » français. Le Britannique, plus pragmatique, exprimait le danger qu'il y avait, « au nom d'une Europe plus proche du peuple, à chercher constamment des moyens de renforcer les institutions », au lieu de se concentrer sur les problèmes réels. « Il me semblait que ce n'était pas le meilleur moyen de pallier la perception d'un déficit démocratique », dit Tony Blair. Le traité de Lisbonne est malgré tout adopté. Il instaure bel et bien un fonctionnement plus démocratique, notamment un pouvoir renforcé du Parlement européen sur la Commission. Mais le symbole est plus fort que la réalité : le message inscrit dans la mémoire collective est que les dirigeants ont voulu imposer un texte auquel le peuple avait dit non. Le référendum de 2005 et son petit sparadrap, le traité de Lisbonne, restent pour toujours l'incarnation d'un traumatisme électoral, l'image du malaise démocratique européen, le modèle de l'arrogance des élites s'arrangeant toujours entre elles pour faire revoter les gens jusqu'à ce que le résultat leur convienne. Il était destiné à purger un mauvais souvenir, il n'a fait qu'aggraver un populisme déjà ancré. En parcourant l'Europe, je ne cesse d'observer à quel point cette référence revient se coller à tout comme le sparadrap du capitaine Haddock. Elle est l'argument définitif qui suffit à balayer tous les autres pour justifier qu'on ne croit plus en rien. Je l'ai vu plus que jamais en Grande-Bretagne, où la sortie de l'impasse parlementaire par un deuxième référendum sur le Brexit, qui n'aurait pourtant rien à voir avec le nôtre, est écartée au nom de l'infernal sparadrap de 2005. Cette question du référendum et du traficotage me turlupine :

— N'a-t-on pas eu tort de passer par-dessus la volonté populaire ? demandai-je à Emmanuel Macron.

— Je suis convaincu que si. On a eu tort. Je pense qu'on aurait dû, à ce moment-là, repartir sur une convention intergouvernementale et regarder comment on pouvait refonder quelque chose de plus démocratique et de plus large. Ce que l'on doit absolument refonder maintenant, une Europe plus souveraine et démocratique à laquelle je crois, on aurait dû le faire en 2005. Je pense qu'il fallait reprendre le travail à l'aune du « non » du peuple. Certes il était très ambigu parce qu'il était multi-facettes, mais que disait-il? La peur d'une Europe ouverte qui soit devenue plus un marché qu'un projet. C'était ça, l'impensé de ce non – l'impensé ou l'explicite. Il y a une erreur démocratique qui a été faite en repassant par la voie parlementaire pour contourner la décision des citoyens. Cela a créé une rupture en France et elle s'est répercutée dans beaucoup de pays. Plus profondément, il y a un vrai problème de décisions prises trop loin de la légitimité démocratique. L'Europe est imparfaite démocratiquement.

– Les nouveaux dirigeants nationalistes en Europe réprouvent quelque chose de plus profond, semble-t-il: ils n'ont pas la même vision que nous de la démocratie. Ils détestent les valeurs que l'Europe incarne: le libertarisme, les libertés individuelles, le mariage homosexuel, les *gender theories*, l'esprit 68...

– C'est vrai, mais cela ne leur est pas réservé. Ce mouvement plus profond existe aussi dans la société française. C'est le retour de la majorité insécurisée. C'est le fait de dire: «Les démocraties libérales sont devenues des projets à reconnaissance et exacerbation des minorités, alors que nous, nous voulons reparler à la majorité.» Ce mouvement existe partout et c'est une des raisons de la crise des démocraties libérales.

– Ils considèrent que nous leur imposons notre vision de la société, sans respecter la leur...

– C'est faux. Il faut être particulièrement clair sur ce point: la vision de la société relève du fait national. Je ne défends pas un projet fédéraliste européen ou européiste qui aurait vocation à tout réguler. Les peuples ont leur identité. La vraie question n'est pas là, c'est : voulons-nous nous faire la guerre sur ces sujets ou avons-nous au-delà de ça un destin commun, un projet à mener ensemble, un socle de valeurs et d'histoire commune face, ou à côté, des États-Unis ou de la Chine ? C'est ça, le vrai sujet. Quand on parle des grandes migrations, de la transformation numérique, de l'écologie, de la défense, avons-nous une vision de civilisation européenne, ou pas ? Et puis il y a la question de l'État de droit. C'est là où ces dirigeants jouent sur une ambiguïté : qu'ils veuillent donner ou pas un caractère conservateur à leurs sociétés, ça ne nous regarde pas. Par contre, ce n'est pas un élément de relativité de savoir si la justice doit être indépendante, si les médias doivent être libres et si la liberté de conscience doit être assurée. Ça, ça fait partie du socle minimal de valeurs que nous devons partager.

– Mais l'État français est-il si libéral que cela ? La loi anti-casseurs, par exemple, ce n'est pas de l'illibéralisme ?

– En rien. Il y a le contrôle du juge. Il y aura un contrôle constitutionnel. Les nationalistes manipulent la séparation entre l'exécutif et le judiciaire, pas nous. Il faut faire attention avec ces comparaisons, on ne peut pas dire que la justice n'est pas indépendante en France, qu'on bloque des affaires ou qu'il n'y a pas de transparence. Ce n'est pas vrai. Il y a des débats au Parlement. Il y a une Cour constitutionnelle. Il y a des possibilités de recours devant cette cour constitutionnelle. Il y a aussi des tribunaux qui auront à se prononcer dans l'application de la loi le moment venu. J'accepte qu'il y ait des critiques, mais dire que le fonctionnement des institutions françaises serait comparable à celui de la Hongrie, ce serait ignorer dangereusement la hiérarchie des valeurs. À dire que tout est pareil, on relativise tout et on ne se rend pas compte du trésor qu'on a. Nous, démocraties libérales, sommes des sociétés libres, ouvertes, et donc critiques d'elles-mêmes. C'est à la fois une grande faiblesse et une immense force. De l'autre côté, les régimes autoritaires utilisent ce relativisme et s'indignent des reproches que l'on peut leur faire, sous prétexte que l'on ferait comme eux.

– Quand vous proclamez un duel entre progressistes et nationalistes, est-ce que vous ne prêtez pas la main à ces accusations? Surtout que «nationaliste», je vois à peu près ce que ça veut dire, mais «progressiste», je ne sais pas. Ça veut dire quoi? Tout le monde se trouve progressiste. Orbán ou Salvini considèrent que le repli sur la nation est un progrès.

– Je ne crois pas que le repli nationaliste, le recul des libertés publiques ou de la séparation des pouvoirs constituent un progrès. Je ne suis pas pour la suppression des États-nations, bien au contraire, et je reconnais ce que les peuples ont de caractéristique et d'irréductible. Mais, dans un monde de plus en plus incertain, les souverainetés ne peuvent être protégées que par le truchement européen. Elles ne se protégeront jamais seules du fait migratoire, entre autres. Il ne faut pas se cacher : le clivage fondamental, c'est entre ceux qui croient dans l'Europe et ceux qui n'y croient pas.

– Les Italiens croyaient dans l'Europe et l'Europe les a laissés tomber avec les migrants. Ne regrettez-vous pas d'avoir attaqué Salvini parce qu'il n'avait pas pris l'*Aquarius*?

– Absolument pas. J'ai toujours défendu la même règle : on ne répond pas à la solidarité en ne respectant pas le droit humanitaire et le droit de la mer. Si l'Italie a été abandonnée, c'est au moment de Mare Nostrum [l'opération militaro-humanitaire lancée en 2013 par Enrico Letta, alors président du Conseil italien, pour secourir des centaines de migrants naufragés]. On a laissé tomber l'Italie, tous, par manque de solidarité européenne. Je n'étais pas en responsabilité, à ce moment-là – aurais-je été en responsabilité, je ne sais pas si j'aurais réussi à apporter une réponse mieux que d'autres. Donc je ne me dédouane pas, mais la réponse collective n'a pas été à la hauteur.

– N'empêche que la France a donné des leçons à l'Italie et n'a pas pris le bateau non plus...

– Parce que ce n'était pas légalement à nous de le prendre. À partir du moment où le bateau quitte les eaux libyennes, les ONG le prennent en charge. Il rentre à ce moment-là sous un commandement maritime italien. Aucune instruction n'est donnée. Aucun appel à la solidarité n'est donné. C'est quand il arrive à portée des côtes italiennes que Salvini dit : «Je ne le prends pas.» Par pure provocation. Pendant des mois, nous avons géré la crise migratoire avec Paolo Gentiloni (ex-Président du conseil, du Parti démocrate). La diminution de 90 % du flux migratoire vers l'Italie est le produit d'un vrai travail effectué par Paolo Gentiloni avec les pays africains. Il y a un droit humanitaire, un droit de la mer, la protection va avec l'accueil au plus proche. La France est le pays qui a pris le plus de réfugiés par ce biais, de manière volontaire, en demandant à chaque pays d'en faire autant. Il n'en demeure pas moins que nous devons continuer à aider à l'Italie et résoudre ce problème en profondeur, en refondant l'asile européen et l'espace Schengen qui ne fonctionnent plus.

L'heure de la fin a sonné. Juste le temps d'une dernière question qui me préoccupe. À la fin des années 1990, la majorité des chefs d'État et de gouvernement européens étaient dans la mouvance sociale-démocrate, plus ou moins sociaux, plus ou moins libéraux, mais favorables à une économie sociale de marché. Aujourd'hui, Macron et Merkel sont les seuls grands dirigeants centristes en Europe, tels deux derniers Mohicans sur un radeau, au milieu du Rhin. Le populisme nationaliste l'emporte, comme si son tour était venu.

– Il y a vingt ans, la social-démocratie dominait en Europe, lui dis-je. Elle disparaît en faveur du nationalisme. Est-elle morte ?

– Je ne suis pas dans la social-démocratie telle que vous la définissez. Nous avons recomposé le paysage politique, j'ai construit ce que j'appelle un progressisme et je crois en un projet national et européen qui se recompose. Le mot social-démocratie, il correspond à une forme politique et sociale qui a existé. Je ne sais pas dire si elle existe encore, en tout cas je ne pense pas qu'elle puisse exister sous la même forme. Parce qu'on vit une crise multiple – migratoire, économique, sociale, politique et démocratique – très profonde, qui en a changé les composantes. La social-démocratie à laquelle vous faites référence, elle a existé dans un temps où il y avait un primat de l'économique et où l'on essayait de réguler le marché. Les choses sont différentes aujourd'hui. Je suis attaché à la définition d'une idéologie, car je pense qu'on est beaucoup plus fort quand on a les idées claires. Mais je n'aime pas les catégories sociologiques ou de philosophie politique qui enferment, parce qu'elles ont toujours un temps de retard par rapport à l'état du monde. Et comme il y a précisément une accélération du monde et un retour du tragique, on se trompe d'autant plus à vouloir s'enfermer dans les catégories passées. C'est une discussion que j'ai souvent avec Sloterdijk, que j'aime beaucoup. Il a une pensée du moment qui correspond à la dynamique que j'avais voulu donner en créant En Marche!. Ça veut dire aussi assumer la part de risque qu'il y a dans la vie politique. Ce qu'on vit aujourd'hui dans le moment français, avec ce débat national et la démocratie délibérative, c'est une part de risque.

– Vous vous inspirez pourtant de la Troisième voie sociale-libérale, dans la lignée des Clinton-Blair-Schröder.

– Je suis dans un autre moment de l'histoire européenne. Je pense que ce qui en fait advient pour ma génération, pour la France et l'Europe, c'est le retour du politique. La troisième voie, toute cette génération de politiques qui m'a précédé en Europe, de Tony Blair jusqu'à d'ailleurs Angela Merkel, est une génération durant laquelle il y a eu un primat de l'économique. Mon élection correspond à un moment européen des démocraties occidentales où c'est le retour du politique – et du tragique avec lui, de la grande violence, du pire, des incertitudes. La démocratie, les libertés individuelles, le progrès des classes moyennes, l'économie sociale de marché, tout cela formait un tout qui fonctionnait ensemble, avec une procédure d'ouverture permanente. Le fonctionnement démocratique et la crise du capitalisme financier international et de ses excès conduisent ce système à la rupture. Certains se referment sur eux et choisissent plus de fermeture – c'est le modèle américain. Certains le font par l'autoritarisme, en réduisant les libertés individuelles. Les vrais mercantilistes trouvent qu'un système comme certains pays d'Asie, ouvert au marché et efficace, mais sans liberté ni démocratie, ça devrait être un modèle pour l'Europe. Et puis il y a ceux que j'appelle les progressistes, qui pensent qu'il faut maintenir à la fois la liberté, la protection, la régulation. Mais cela impose de repenser différemment notre souveraineté, nos frontières, les équilibres environnementaux et sociaux. En tout cas, le cycle où le fait économique prime et surdétermine tout le reste, c'est fini, parce que les peuples veulent décider. Le nouveau cycle qui commence, c'est celui du politique.

Dans le nouveau cycle politique des trente prochaines années, lequel des modèles l'emportera en Europe ? Les démocrates libéraux que veut fédérer Emmanuel Macron ou les nationalistes Orbán et Salvini, qui sont les dirigeants les plus populaires de toute l'Europe ? Juste avant cette interview, la France rappelait (pour quelques jours) son ambassadeur à Rome. Les vice-Premiers ministres italiens Salvini et Di Maio s'étaient enthousiasmés bruyamment pour les Gilets jaunes et leurs appels au lynchage du chef de l'État français, ouvrant une crise d'une ampleur jamais vue entre deux pays de l'Union européenne. Peu après l'interview, l'effigie de Simone Veil peinte sur des boîtes aux lettres était taguée de croix gammées. Le philosophe Alain Finkielkraut subissait les hurlements antisémites d'une meute de manifestants enragés au cœur de Paris, traqué au coin du boulevard Montparnasse et de la rue Campagne-Première. Une représentante des Gilets jaunes, Ingrid Levavasseur, devait être exfiltrée d'une manifestation sous les insultes sexistes et autres, pour avoir voulu se porter candidate aux élections européennes. Des parlementaires du groupe La République En Marche !

sont menacés physiquement comme le sont ceux qui, en Grande-Bretagne, s'opposent au Brexit. Des policiers dépassés tirent dans les yeux des manifestants. Les injures racistes sont devenues monnaie courante. Emmanuel Macron est régulièrement montré du doigt comme «juif», «sioniste» ou «laquais de la juiverie internationale», son pantin pendu à une potence ou trimballé dans la foule avec un de ces gros nez caractéristiques des illustrations des années 1930 sans que cela gêne personne, comme ne gênent pas les tags, les pancartes, les paroles antisémites qui émaillent les cortèges des manifestations. Cette affaire des Gilets jaunes qui déstabilise la vie démocratique, Steve Bannon la suit de très près et se frotte les mains. Qu'est-ce qui se passe? «Aujourd'hui, nous nous retrouvons à un tournant, à une conclusion ou à un début», écrivait Stefan Zweig en recomposant ses *Souvenirs d'un Européen*, à propos de l'année 1939 – il y a trois fois trente ans.

«Je sens des boums et des bangs agiter mon cœur blessé, l'amour comme un boomerang me revient d'un jour passé, c'est une histoire de dingue, une histoire bête à pleurer.» La chanson de Gainsbourg me cogne la tête. C'est une histoire qui tourne en rond et qui recommence, de trente ans en trente ans. Une histoire de dingue, une histoire bête à pleurer.

11

Brexit mon amour

Puisque les voyages ne vont jamais sans leur lot de mésaventures, je me suis retrouvée il y a quelques mois dans le commissariat de mon quartier après m'être fait voler papiers d'identité, carte de crédit et tutti quanti par un pickpocket, au départ du bus vers l'aéroport d'Orly. Le brigadier de police qui a pris en note mon procès-verbal, bizarrement curieux de ma destination, pourtant sans rapport avec le portefeuille disparu, s'est mis à digresser de lui-même sur l'Europe, « tout ce fric foutu en l'air pour rien », « il n'y a qu'à voir le référendum qu'on a eu en France », « on se fait toujours avoir », etc. Comme il n'en faut pas beaucoup pour me chauffer sur le sujet et que j'étais de plus, vu les circonstances qui m'amenaient devant lui, d'humeur passablement irritable, je n'ai pas réussi à le laisser dire sans réagir et nous avons passé une demi-heure sur l'affaire du référendum de 2005 en France et même sur celui du Brexit, au sujet duquel mon brigadier avait un point de vue très arrêté. L'idée que les Britanniques puissent vouloir revoter sous prétexte qu'ils avaient changé d'avis, il était contre : ils avaient déjà eu leur référendum, c'était clair et net (non, lui rétorqué-je, précisément ce n'était ni clair ni net), et on n'avait pas besoin d'eux, ils s'étaient toujours comportés comme des égoïstes (là-dessus je ne pouvais pas le contredire), concluant que « de toute façon, c'est toujours la même histoire, les référendums ne servent à rien puisqu'au bout du compte les élites font toujours ce qui les arrange », etc. C'était épuisant. En repartant du commissariat avec mon PV, je me disais que c'était bien ma veine, non seulement d'avoir perdu mes documents et une matinée qui m'aurait été plus utile ailleurs, mais aussi d'être poursuivie par ce sujet maudit partout où que j'aille, au point de me retrouver à batailler sur le Brexit jusque dans un lugubre commissariat de police.

Le Brexit m'obsède. Sa folie me fascine. L'infinité de ses conséquences m'épouvante mais aussi, et plus encore, la nature de ses causes. Je me demandais pourquoi le résultat du référendum me mettait dans un tel état, ce petit matin du 24 juin 2016, quand je l'ai découvert alors que les derniers sondages, vers minuit, donnaient encore le oui gagnant. Je me trouvais dans un hôtel à Berlin, occupée à enquêter sur Angela Merkel, et je suis restée figée dans mon lit comme une momie, à mouronner. L'image d'un château de cartes juste avant l'effondrement. Le sentiment que le monde civilisé vacillait sur son socle. Que nos valeurs étaient en train de basculer à ce moment précis, pour de bon. Je récapitulais ce que j'avais vécu de plus traumatisant, dans mon petit demi-siècle de vie politique française relativement calme et oublieux des guerres qui avaient lieu plus loin. L'épuration ethnique en Yougoslavie. Les années noires en Algérie. Les attentats du 11 Septembre avaient fait dérailler les années 2000, provoqué de manière irrationnelle la catastrophe de la guerre en Irak, nourri les djihadistes et les massacres en Syrie. Le Pen était arrivé au second tour de l'élection présidentielle en 2002. Le référendum de 2005 sur le traité constitutionnel européen avait déplacé durablement les lignes de la vie politique en France et annonçait déjà en partie le reste de l'histoire. La crise financière avait fait trembler le monde. Les printemps arabes l'avaient réjoui brièvement. Mais là, c'était différent. Le premier vote à marquer une vraie rupture avec le monde d'avant, un coup porté au fondement même de nos démocraties. Le premier à détruire ce que nous avions réussi de mieux tous ensemble – une construction généreuse et solidaire après deux guerres mondiales. Le premier traumatisme de ma vie politique. Le choc du 24 juin devait en préfigurer un autre, le 9 novembre, produit d'une campagne inspirée du même modèle : l'élection de Donald Trump. La suite logique du château de cartes, l'explosion de cette gigantesque vague souterraine de ressentiment que les sondages et les savants experts n'ont jamais vu venir. Le 9 novembre est une date ambiguë : celle de l'infâme Nuit de Cristal en 1938, mais aussi celle de la chute du mur de Berlin, la dislocation de l'URSS – la mort d'un totalitarisme, la fin de la guerre froide. L'ironie de l'Histoire veut que l'aventure de la mondialisation sociale-libérale née un 9 novembre avec la chute du Mur se referme une petite trentaine d'années plus tard un 9 novembre, avec l'élection d'un Président américain obsédé par la construction d'un mur.

Brexit, Trump : les deux premiers piliers d'un nouvel édifice national-populiste qui continue ensuite à poser ses marques, emporté par l'élan : la percée de l'extrême droite au Parlement allemand, la coalition entre la droite et l'extrême droite au gouvernement autrichien, la coalition entre l'extrême droite et le fourre-tout antisystème à la tête de l'Italie, la réélection d'un Orbán de plus en plus illibéral en Hongrie, un militaire défroqué d'extrême droite élu président au Brésil, et on en passe. Marine Le Pen ne s'y était pas trompée en installant au QG de campagne du Front national, rue du Faubourg-Saint-Honoré, une affiche du Brexit en guise de porte-bonheur pour l'élection présidentielle de 2017 – en attendant la suite. 2016 restera une année clé dans le monde occidental. Le premier désastre démocratique du XXIe siècle.

Examiné au microscope, le Brexit apparaît comme un gros machin dégoûtant, un concentré admirable de toutes les pathologies de notre époque. Un monstrueux insecte kafkaïen semblable au Gregor Samsa de *La Métamorphose* qui gigote ses petites pattes, émet des sons de bête et n'arrive pas à s'extraire de son lit, couché qu'il est sur sa carapace renversée, jusqu'à ce que la femme de ménage finisse par le retrouver un jour, mort dans sa chambre, tout desséché. Le Brexit en est encore à agiter ses pattes ignobles et nul ne sait encore dans quels égouts son destin nous entraînera. En regardant Gregor Samsa métamorphosé en gros Brexit me revient soudain à l'esprit la vision de Boris Johnson suspendu sur une tyrolienne au-dessus de Victoria Park, boudiné dans un harnais, des mèches blondes émergeant de son casque : la tyrolienne s'était enrayée et le maire de Londres qu'il était alors avait pendouillé un moment au-dessus du vide, gigotant lui aussi ses quatre pattes en même temps que les deux drapeaux britanniques qu'il tenait dans chaque main. Pas étonnant que le Brexit ait trouvé son plus ardent leader en ce maire clownesque, pur produit de l'élite britannique passée par Eton et Oxford, qui n'hésite pas à vendre au peuple que l'ultralibéralisme et la fin des taxes et des normes lui assureront un avenir radieux. Il était si peu convaincu lui-même par ses promesses délirantes qu'il avait préparé deux articles opposés, l'un pour le Brexit et l'autre contre, afin de dégainer au dernier moment celui qui lui serait politiquement le plus utile. Pour incarner la folie britannique, la famille Johnson offre un bon échantillon : ou comment une fratrie si « posh » et si bien élevée dans la culture européenne – des origines turques, suisses, juives et françaises, une mère artiste peintre, un père qui fut fonctionnaire à la Banque mondiale et à la Commission européenne ainsi que député Tory modéré au Parlement européen (Stanley) – peut produire, parmi les quatre enfants, une journaliste fantaisiste bruyamment hostile au Brexit (Rachel), un ministre aussi brillant que calme et timide (Jo), ce Remainer tiraillé par sa loyauté au

213

gouvernement dont il a fini, excédé, par démissionner. Et enfin l'aîné des quatre (Boris), prêt à tous les tsunamis, essentiellement par opportunisme, mais aussi en vertu de ce sentiment aristocratique propre aux excentriques conservateurs British : le cynisme fondamental consistant à privilégier avant toute chose ce qu'ils considèrent comme le summum de l'identité britannique : l'humour, le brio, le style.

En attendant l'apocalypse, des générations d'entomologistes, de politologues et d'historiens se frotteront les mains devant leur microscope en étudiant ce cas d'école rêvé : pendant la campagne du référendum, tous les ingrédients du populisme ont été réunis et amplifiés à un niveau jamais atteint depuis la guerre. Premièrement, les thèmes les plus vendeurs y étaient tous : le peuple contre les élites, la nation contre Bruxelles, l'obsession de l'immigration, la grandeur nationale, la souveraineté retrouvée pour « reprendre le contrôle », la dénonciation du « système ».

Deuxièmement, la campagne a été victime d'ingérence étrangère, comme le furent les suivantes, américaine ou française. Une commission parlementaire britannique soupçonne la Russie d'avoir influencé et financé indirectement le camp pro-Brexit. Le lanceur d'alerte Christopher Wylie a affirmé que Cambridge Analytica, la société d'analyse de données que coprésidait Steve Bannon, avait joué un « rôle crucial » dans le vote en faveur du Brexit comme elle l'a fait aux États-Unis contre Hillary Clinton, et que l'influent groupe pro-Brexit « Leave EU » dirigé par Boris Johnson et

Michael Gove aurait ainsi contourné son plafond de dépenses et dépensé près de 1 million de livres sterling pour cibler les électeurs.

Troisièmement, le Brexit a bénéficié de l'arme magique : le référendum. Le fantasme et le poison de la démocratie. Le joujou préféré des marchands de rêve. L'invention démagogue selon laquelle la démocratie parlementaire serait moins démocratique que la consultation populaire directe. L'idée folle et fausse selon laquelle les élus seraient les élites, et qu'ainsi les députés élus par le peuple seraient moins légitimes à voter les lois qu'un peuple sans intermédiaire qui n'aurait qu'à dire oui ou non. Comment demander à tous les citoyens de trancher par oui ou par non une question éminemment complexe qui engage si structurellement l'avenir du pays ? Séduire et se montrer sympathique en promettant de simplifier ce qui ne peut pas l'être, telle est la sorcellerie de la stratégie populiste, sa formule magique. Pour ceux qui voulaient mobiliser la colère et accéder au pouvoir en se contrefichant d'apporter la moindre solution, le référendum sur le Brexit était un rêve. Rien que l'alternative, « Leave » ou « Remain », partir ou rester, induisait déjà la question. Qui préfère « rester » collé à sa situation, forcément insatisfaisante, plutôt que « partir » et s'en évader ? Le Leave portait en lui la liberté, la libération, les chaînes brisées. De quoi ? Personne ne l'avait compris. Personne ne savait ce que quitter l'Union européenne voulait dire, ni ce qu'ils voulaient, ni pour quoi en faire, ni comment. Personne n'avait planifié les conséquences et les solutions.

Personne n'avait pensé aux contradictions insolubles telles que l'inévitable rétablissement d'une frontière en Irlande – ni les Brexiters, ni même les Remainers qui se réveillent un peu tard pour débattre et polémiquer. Les Brexiters ont vendu l'impossible : sortir du marché unique et en garder tous les bénéfices. Ils ont oublié que quarante-cinq ans passés dans le même club ont entremêlé les économies, les ont rendues indispensables les unes aux autres et qu'aucune alternative n'est meilleure pour chaque pays que ces liens tissés en un ensemble. Comme toujours avec les référendums, on répond au questionneur et pas à la question, au contexte et pas au texte, à la passion et pas à la raison. Les Brexiters n'ont pas dit non à l'Europe, ils ont dit non tout court. Résultat : les Britanniques sont, comme les Gilets jaunes, incapables de se mettre d'accord sur ce qu'ils veulent. Le Brexit promis s'avère être une chimère. Le Brexit négocié ne convient à personne : soit trop dur et désastreux pour l'économie du pays, soit trop mou et inutile. «*Painful*» ou «*pointless*» résume Tony Blair. Sans compter le spectre de la guerre civile irlandaise.

Le quatrième ingrédient populiste contenu dans le Brexit est le plus effrayant de tous. Pour la première fois depuis la guerre, le mensonge a été érigé en stratégie politique. Les campagnes électorales charrient toujours leur part de postures et de fausses promesses mais cette fois, l'utilisation du mensonge a franchi un cap. Nigel Farage et Boris Johnson, puis Donald Trump conseillé par Steve Bannon ont poussé jusqu'à l'extrême cette astuce que Joseph Goebbels avait théorisée :

«Plus le mensonge est gros, plus il passe. Plus souvent il est répété, plus le peuple le croit», avait dit le chef de la propagande nazie au lendemain de l'incendie du Reichstag. Le stratège des fake news, avant Farage et Bannon, c'est Goebbels. La philosophe Hannah Arendt l'avait analysé comme étant une des origines du totalitarisme : «Le sujet idéal de la domination totalitaire n'est ni le nazi convaincu ni le communiste convaincu, mais celui pour qui les distinctions entre fait et fiction et entre vrai et faux n'existent plus.» L'adage de Goebbels, étrangement ressorti des poubelles de l'histoire a connu une nouvelle vie explosive et démultipliée, en ces temps de réseaux sociaux et de méfiance accrue à l'égard du discours des politiques. Moins on croit à la politique, plus on apprécie les personnalités qui la ridiculisent et la défient. Plus le mensonge est énorme, plus il fait du menteur un héros. Brexit, Trump. Des deux côtés de l'Atlantique, l'expression «post-vérité» est entrée dans le dictionnaire comme le nouveau mot de l'année 2016. Le lendemain du référendum, lorsqu'une journaliste a demandé à Nigel Farage si le système public de santé pourrait bénéficier, comme les Brexiters l'avaient juré, des 350 millions de livres hebdomadaires versés à l'Union européenne, Nigel a répondu du tac au tac, avec une désinvolture insolente : «Bien sûr que non!». Il trouvait ça drôle. Farage avait compris que l'époque avait atteint ce point de nihilisme où la vérité des faits n'a plus d'importance. Où les mensonges résumés en formules obscènes sont beaucoup plus audibles qu'un programme de vérité. Où l'important est d'exister médiatiquement, pas de prendre des responsabilités au pouvoir : après la victoire du non, les Brexiters se sont enfuis en courant. Nigel Farage, tout en restant député européen et salarié par les contribuables de l'Union, est devenu animateur de radio. Boris Johnson, qui s'était cru dans un jeu vidéo, a eu si peur face à l'évidence d'avoir gagné pour de vrai, qu'il a pris ses jambes à son cou le lendemain pour ne pas assumer ni devenir Premier ministre. Les plus riches et les plus militants d'une sortie du Royaume-Uni, dont le député très conservateur Jacob Rees-Mogg, se sont empressés de planquer leurs investissements ou leur fortune hors du Royaume-Uni, entre l'Irlande, Monaco et Singapour. La campagne du Brexit restera dans l'Histoire comme la première et la plus vertigineuse leçon de cynisme politique que la démocratie ait jamais connue.

Le cinquième ingrédient que le Brexit révèle est que le populisme procède d'un malaise qui, lui, n'est pas mensonger. Les leaders populistes l'attisent et l'utilisent à leurs fins personnelles, mais ils ne prospèrent si vite que parce qu'ils s'appuient sur une réalité : la souffrance populaire qui traverse l'Occident depuis le choc de la mondialisation. Les inégalités et les divisions se sont creusées. La démographie a changé, les axes du monde ont bougé, les Blancs se sentent disparaître et cherchent refuge dans la nostalgie d'un passé redessiné selon leur fantasme. Il a fallu désigner des boucs émissaires : le libre-échange, les élites, les immigrés. La révolte qui aboutit au Brexit est la même que celle des Gilets jaunes en France. La même qui permet à Matteo Salvini d'accéder au pouvoir en Italie et de continuer à triompher : la division des sociétés, moins entre les riches et les pauvres qu'entre l'intelligentsia urbaine, éduquée, cosmopolite, et ceux qui n'en font pas partie. Entre les «Anywhere» et les «Somewhere», entre ces «N'importe où», éduqués, habiles, mobiles, qui s'en sortent toujours, et ces «Quelque part» attachés à leur terroir et que la mondialisation a plombés. D'un pays à l'autre, ce sont les mêmes colères, les mêmes peurs, les mêmes relents racistes, les mêmes mensonges, les mêmes leaders qui surgissent. La campagne pour le Brexit a été marquée par le meurtre de la jeune et belle députée qui défendait simplement l'idée de l'Europe et de la tolérance, Jo Cox. La victoire du Leave a été immédiatement suivie par l'assassinat d'un travailleur immigré polonais, victime avec d'autres d'une attaque ciblée. Les communautés polonaise et roumaine sont en ligne de mire, des Français établis à Londres subissent des insultes, des étrangers n'osent plus parler dans la rue. Les agressions racistes ou religieuses se sont multipliées. Des députés qui ont le courage de s'opposer à la ligne de leur parti, comme la conservatrice proeuropéenne Anne Soubry, sont menacées de mort. Ce que le Brexit a emporté avec lui va bien au-delà de la Grande-Bretagne et du marché unique. Il a détruit une idée. Une atmosphère. Un monde. Une parenthèse ouverte il y a soixante-dix ans pour surmonter les guerres fratricides et les massacres collectifs. Il nous a fait basculer vers autre chose. Quoi ? C'est difficile à définir. Un suspense comme au théâtre, lorsqu'un nouveau décor apparaît au lever de rideau, après un moment d'attente dans le noir.

Le reste échappe au populisme. Notamment ce fabuleux attachement à la démocratie dont les Britanniques continuent à faire preuve, malgré l'invraisemblable bazar dans lequel ils se vautrent lamentablement depuis leur référendum. C'est d'ailleurs un des traits de caractère qui font de nous des animaux très différents, de part et d'autre de la Manche. Notre conception de l'opposition politique consiste à nous balader tous les samedis dans les grandes villes avec des haches ou des scies circulaires, à tout péter, à déposer un peu partout des ignominies antisémites, à rêver d'accaparer l'Assemblée nationale et de guillotiner le président de la République, à s'autoproclamer « le peuple » sans se soucier de savoir si l'on est majoritaire, unique et uni, et naturellement sans s'accorder sur la moindre demande commune. Nos voisins britanniques partagent avec nous ces trois qualités essentielles : 1/ l'égoïsme, 2/ l'incohérence à vouloir le beurre et l'argent du beurre, et 3/ l'orgueil qui oblige à ne pas l'admettre, autrement dit à foncer dans le mur en klaxonnant. Mais leur conception à eux de l'opposition politique consiste à s'étriper verbalement pendant des années (déjà trois) dans l'enceinte du Parlement de Westminster, sans haches ni scies circulaires sous l'autorité d'un speaker qui rétablit l'ordre en criant « *Ooordeer* » de sa grosse voix rauque. Voilà trois ans qu'à la chambre des Communes, la Première ministre et le chef de l'opposition, installés face à face à deux mètres l'un de l'autre, se lèvent le temps de s'envoyer des horreurs sur un Brexit auxquels ils ne comprennent rien. Voilà trois ans que les ministres répondent du tac au tac aux questions des députés, certes sans avancer d'un iota sur le fond. Trois ans qu'ils offrent, certes, le spectacle désolant d'un Parlement réduit à des jeux politiques mesquins, où le calcul des partis et des egos l'emporte sur l'intérêt général. Mais malgré tout, si elle s'est fourrée dans une situation ridicule, la plus vieille démocratie du monde a quand même de beaux restes. Ceux qui se sont fixé pour seul objectif la démission d'un Président élu par une majorité et pour cinq ans doivent trouver cela rétrograde. Pour ma part, j'aime le charme désuet de la démocratie britannique.

À l'heure où nous mettons ce livre sous presse, comme on disait encore dans les journaux il y a trente ans, le Brexit n'est pas une affaire conclue. Il est d'ailleurs bien parti pour ne l'être jamais, à la manière du dîner maintes fois planifié et maintes fois reporté, dans *Le Charme discret de la bourgeoisie.* Dans le film de Buñuel, les bourgeois font dignement n'importe quoi et se résignent avec panache à la succession de contrariétés plus loufoques les unes que les autres qui les empêchent de se réunir à table. Quelle que soit l'issue – sortie avec accord, sortie sans accord, nouvelles élections, nouveau référendum, report infini –, le mal est fait. Une bonne moitié de la société britannique n'éprouve pas la nécessité d'appartenir à la Communauté européenne. Les opposants travaillistes au Brexit n'ont jamais envoyé de message contraire en restant fidèles à un parti dont le leader, Jeremy Corbyn, n'a jamais caché être un europhobe viscéral et inflexible. Le 13 mars 2019, les députés l'ont encore prouvé en ne votant qu'à une minuscule majorité de quatre voix l'exclusion d'un Brexit dur et « sans accord ». Lors d'une de mes rencontres avec Tony Blair, le plus continental des Britanniques, je lui avais dit avec ironie que tout notre malheur, à nous Européens, procédait de ce que la Grande-Bretagne n'avait pas perdu la Seconde Guerre mondiale. Que l'arrogance des Britanniques et leur crise d'indépendance venaient de ce qu'ils n'avaient eu besoin de personne face à Hitler. « Vous, les Anglais, lui dis-je, vous regardez l'Europe de haut parce qu'elle a été vaincue alors que vous, non. Du coup, vous vivez dans l'illusion que l'Union européenne ne vous sert à rien, sauf éventuellement à arranger vos affaires commerciales. » Il avait feint un air choqué de circonstance mais en était convenu. « Les Britanniques ont tendance à oublier la richesse de leur héritage européen : ils n'ont voulu rejoindre la Communauté économique qu'en 1973 et n'ont pas compris qu'ils auraient dû en être un membre fondateur, en 1951 ou en 1957. Cela aurait tout changé. » Tony Blair a signé la Charte sociale européenne. Il a posé les bases d'une politique de défense. Il avait même espéré pouvoir intégrer son pays dans la zone euro. Mais ce n'était pas du tout du goût de ses concitoyens, lesquels ont une fâcheuse tendance à oublier qu'ils ne font plus partie d'un empire ni d'une puissance en solo. Il y a trente ans, le 9 décembre 1989, le Royaume-Uni de Margaret Thatcher avait refusé de ratifier la Charte communautaire des droits sociaux fondamentaux des travailleurs et la suite n'aura été qu'une longue série de dérogations britanniques aux traités de l'Union européenne, pour tout et sur tout. Dès le début, le ver était dans le fruit.

La montée des populismes en Europe ne doit pas faire oublier que, si les sociétés sont coupées en deux dans tous les pays, la moitié de la population qui s'oppose à ce populisme reste présente et prête à y résister. Même en Italie, le mouvement 5 Étoiles se vide de sa substance, la Ligue de Salvini résiste mais le Parti démocrate italien semble renaître de ses cendres, lui dont la primaire ouverte a attiré 1,8 million de sympathisants en avril 2017 à se déplacer, alors qu'il était tenu pour mort. L'élection du nouveau leader Nicola Zingaretti, plus à gauche que ne l'était Matteo Renzi, a eu lieu en même temps qu'une énorme manifestation à Milan contre la xénophobie et le racisme manifestés par le gouvernement. En Pologne, Varsovie a élu un maire de l'opposition au PiS, la ville de Gdansk s'est massivement mobilisée pour rendre hommage à son maire libéral assassiné, et élire ensuite son ancienne adjointe. La société civile qui préfère la liberté à la souveraineté nationale n'est pas morte en Europe. En Grande-Bretagne, plus d'un million de personnes ont défilé dans les rues de Londres pour réclamer l'annulation du Brexit, une pétition recueille des millions et des millions de signatures et on ne compte plus ceux qui, célèbres ou anonymes, s'engagent jusqu'à l'épuisement à tenter d'arrêter la folie. Femi Oluwole, un jeune Black surdoué et souriant, a arpenté le pays sans relâche en abordant les passants avec un tee-shirt portant des inscriptions du genre : « Posez-moi toutes les questions possibles sur le Brexit. » Il est l'un des seuls à avoir littéralement cloué le bec à Nigel Farage comme à d'autres bonimenteurs de fake news, par une simple maîtrise des faits et du droit européen que la grande majorité, naturellement, ignore. Il a cofondé une association pour faire barrage au Brexit au nom de l'avenir des jeunes, « *Our Future, Our Choice* », dont les initiales forment opportunément le mot « Ofoc ». *Oh, fuck!* Femi a l'âge de la chute du mur de Berlin. Il a un peu moins de trente ans et fait partie de ces jeunes qui n'ont connu ni la Seconde Guerre mondiale ni la guerre froide, et qui rêvent d'un monde meilleur sans vouloir pour autant bazarder tout le système, conscients des dangers qui guettent et de l'importance de s'unir dans un monde bouleversé. Un jour, nous avons eu une conversation sur ce que signifie « être européen ». Je lui rapportais que personne ne me croyait quand je disais me sentir européenne avant d'être française. Il a rétorqué que lui se sentait d'abord britannique, mais seulement dans la mesure où son pays faisait partie de la communauté européenne. « Si la Grande-Bretagne quitte l'UE, m'a-t-il dit, je me sentirai moins britannique. »

Quelle que soit l'issue, le Brexit restera dans l'histoire, aussi, comme l'exemple d'une nation qui, de manière folle et irrationnelle, aura œuvré à son propre déclin au non d'un référendum inutile, cynique et stupide. La Grande-Bretagne n'en mourra pas mais elle sera amputée de son principal levier, les plus pauvres en paieront le prix fort. Et ses dirigeants porteront la responsabilité d'avoir laissé les plus âgés imposer cette décision tragique aux plus jeunes qui n'en voulaient pas et qui seront les seuls à la subir. Comme l'indiquent les sondages, plus de 70 % des jeunes veulent rester dans l'Union européenne, et deux millions de citoyens qui n'étaient pas en âge de voter le sont maintenant. On en est arrivé à cette situation absurde où la majorité de la société britannique et l'unanimité des dirigeants de l'Union européenne veulent le maintien du Royaume-Uni dans l'UE, et en sont empêchés par des batailles politiciennes mesquines autour d'une question insoluble. Tout ce gâchis parce qu'un leader opportuniste a décidé un jour de réduire une question historique à deux mots, « Leave » ou « Remain », que personne n'était fichu de comprendre. Une histoire de dingue, une histoire bête à pleurer.

Je me trouvais à Édimbourg en novembre 2018, un de ces jours de grand tumulte brexitique comme il y en a souvent depuis trois ans, pour rencontrer une petite dame directe et très têtue, qui sous son soutire modeste est actuellement l'unique dirigeante digne de ce nom sur cette île devenue folle : Nicola Sturgeon, la Première ministre de l'Écosse et la personnalité de poids la plus énergiquement engagée à combattre le Brexit. Ses yeux qui vous fixent comme des flèches me rappellent Angela Merkel, bien que Nicola ne soit pas caractérisée comme la chancelière par le sens du compromis et qu'elle penche très nettement plus à gauche. Après un énième épisode de crise et une énième décision provisoire prise à Downing Street, Theresa May l'avait invitée à venir la voir. Nicola Sturgeon avait refusé. «Je ne vois pas bien l'intérêt pour la Première ministre de parler avec moi une fois que le cabinet a déjà pris sa décision. Si elle avait un minimum de respect pour la position du gouvernement écossais, je suppose qu'il aurait été préférable de me voir avant, et m'intégrer à la prise de décision.» Et toc. Je lui ai demandé comment elle se situait dans le clivage qu'a théorisé notre Président, Emmanuel Macron, entre nationalistes et progressistes, dans la mesure où elle était à la fois l'un et l'autre, nationaliste et européenne, présidente du Parti national écossais et désireuse d'intégrer un jour l'Union européenne. Elle m'a aussitôt rembarrée. «Je trouve un peu étrange que vous, qui êtes citoyenne d'un pays indépendant, vous puissiez vous étonner que l'on souhaite à son propre pays d'être indépendant ! Vous êtes française, pour vous l'indépendance est une chose acquise. Et ce n'est pas parce que vous n'aimez pas l'Allemagne ou le Royaume-Uni, ni parce que vous ne voulez pas que la France ait un rôle international. L'Écosse a été un pays indépendant pendant plus de trois cents ans. Nous sommes une nation dont la voix en Grande-Bretagne n'est pas écoutée ni prise en compte.» La Première ministre, la seule femme d'État sur l'île à tenir le discours peu à la mode sur la richesse apportée par l'immigration, est prise dans une contradiction : elle veut l'indépendance de l'Écosse et s'oppose au Brexit sous toutes ses formes, alors même que le Brexit offre aux indépendantistes écossais, dont le pays a massivement voté pour le maintien dans l'Union européenne, l'opportunité historique d'obtenir leur indépendance de la Grande-Bretagne. « Je suis certaine que l'Écosse deviendra indépendante prochainement. Quand exactement, je ne sais pas. Si le Brexit a lieu, nous prendrons la décision d'organiser un nouveau référendum sur l'indépendance. Ce qui s'est passé ces dernières années démontre plus que jamais la nécessité que nous avons de partir : on nous oblige à nous préparer à un avenir sans l'Union européenne qui sera désastreux pour l'économie, alors que nous, Écossais, avons voté pour le contraire. Le Brexit me consterne, je préférerais qu'il n'ait pas lieu, mais s'il a lieu il renforcera l'argument en faveur de l'indépendance de l'Écosse. »

L'avenir radieux du Royaume-Uni indépendant, qui aura enfin « repris le contrôle », pourrait bien ressembler à cela : une Petite-Bretagne recroquevillée sur l'Angleterre et le pays de Galles, qui aura perdu l'Écosse, et peut-être l'Irlande du Nord, dont une grande majorité de citoyens souhaite eux aussi rester unis à la fois à l'UE et à leurs cousins de la République d'Irlande. Et tout cela pour un référendum sorti du chapeau d'un Premier ministre infantile, David Cameron, qui après avoir cassé son jouet s'en est allé en sifflotant. J'ai beau chercher, je ne vois pas de précédent historique à une telle succession de décisions absurdes, non réfléchies, organisées sur des chimères et des mensonges par des dirigeants obstinés, imposant à leur propre nation de se faire hara-kiri et au reste de l'Europe de subir leur catastrophe. C'est fou, tragique, comique, grotesque, délirant, stupide. Une histoire de dingue, une histoire bête à pleurer. Mais la bêtise est utile : telle est la morale de l'histoire, et c'est ce qu'elle a de moins sinistre. Les Britanniques sont trop orgueilleux pour le reconnaître, mais leur Brexit est devenu malgré lui une déclaration d'amour à l'Europe. Le compromis négocié pendant trois ans par la Première ministre n'est qu'un gigantesque exercice de contorsionnisme pour rester le plus près possible de l'Union européenne sans le dire – et bien sûr en moins bien. Grâce au Brexit, les dirigeants européens se sont montrés plus unis que jamais. Grâce au Brexit, la popularité de l'UE est en hausse dans tous les pays. Grâce au Brexit, on a ouvert les yeux sur les mensonges des démagogues : divorcer de l'Union européenne ne se fait pas sans en payer le prix. Grâce au Brexit, les populistes de toute l'Europe se sont enfuis comme devant un épouvantail à moineaux très laid et très effrayant : à l'exception de quelques illuminés, plus personne ne veut sortir de l'Union européenne. Malgré l'ampleur de la vague nationale-populiste en Europe, pas un seul dirigeant populiste au pouvoir ne veut désormais quitter l'Union européenne. Côté opposition, même Marine Le Pen s'est calmée depuis son débat télévisé de l'entre-deux tours face à Emmanuel Macron, avant l'élection présidentielle, où elle a ridiculisé elle-même ses velléités de sortir de l'euro. La très vieille démocratie britannique s'est montrée une fois de plus exemplaire, mais à sens inverse : elle a montré la voie qu'il ne fallait surtout pas prendre. Pour cela, mais on l'en remercie. Comme dit le proverbe : à toute chose, malheur est bon.

12

Le mariage de Gerhard Schröder

Les voitures à vitres teintées défilent devant la porte de Brandebourg et s'arrêtent au luxueux hôtel Adlon, sur la Pariser Platz de Berlin, là où se côtoient les ambassades des États-Unis, de France et de Grande-Bretagne. La célèbre porte néoclassique aux six piliers est une habituée des grands événements. Le 26 juin 1963, John Fitzgerald Kennedy est venu déclamer *« Ich bin ein Berliner »* en hommage au monde libre, juste derrière le Mur fraîchement construit. La nuit du 9 novembre 1989, une marée humaine a traversé dans la joie le Mur fraîchement démoli, fêtant la fin de la dictature et le nouveau monde. Le 26 mai 2017, Barack Obama a choisi de faire ses adieux à l'Europe ici, aux côtés d'Angela Merkel, au terme de ses deux mandats et avant de céder sa place à Trump et à une autre page de l'histoire. Quand on est au milieu de la Pariser Platz, le Bundestag et la Chancellerie se trouvent au-delà de la porte, sur la droite, et le

Mémorial aux Juifs assassinés d'Europe, sur la gauche. L'hôtel Adlon est de nouveau à sa place, reconstruit comme à l'origine, après avoir été incendié à la fin de la guerre par des soldats soviétiques un peu saouls, puis rasé avec les bâtiments voisins par le régime communiste d'Allemagne de l'Est pour en faire une zone de no man's land entre Berlin Est et Berlin Ouest. De l'autre côté du Mur, à l'Ouest, on ne pouvait alors rien voir de tout cela : ni le no man's land, ni la belle avenue Unter den Linden. Seul le haut de la porte de Brandebourg dépassait de la palissade de béton de 3 mètres de haut. C'était il n'y a pas si longtemps. C'était il y a trente ans.

Dans la soirée de ce 5 octobre 2018, les invités n'ont pas la tête à s'encombrer de la gravité de l'histoire. L'événement qui les réunit à l'intérieur du palace ne fait d'ailleurs pas grand bruit, en dehors de quelques échos de la presse people. C'est un tout autre genre de réunification qui se joue dans les salons de l'hôtel Adlon : le cinquième mariage de Gerhard Schröder, cette fois avec Kim So-yeon, une brillante Sud-Coréenne d'un quart de siècle sa cadette, qui a été son interprète. À soixante-seize ans, l'ancien plus jeune chancelier fédéral d'Allemagne, celui qui le premier marquait l'entrée du pays dans l'ère de l'après-guerre, est un spécialiste des alliances. À l'occasion de son précédent mariage, le quatrième, il avait hérité du surnom de « Monsieur Audi », à cause des quatre anneaux de la marque automobile. Il est arrivé à l'hôtel Adlon avec le cinquième déjà passé à l'annulaire, car la cérémonie officielle avait eu lieu cinq mois plus tôt le 2 mai, à Séoul. Cent cinquante personnes de haut rang se pressaient à la fête berlinoise, sans mesurer qu'elle sonnait aussi la fin d'une époque : Gerhard Schröder est le dernier social-démocrate à avoir gouverné le pays. Il fut un grand chancelier. Mais, tel Attila, après lui l'herbe rose n'a jamais repoussé.

D'un murmure à l'autre, à l'hôtel Adlon, la question court comme un furet : Vladimir Poutine viendra-t-il ? Le président russe est un intime de l'ancien chancelier. Ils ont commencé à tisser des liens lorsque Gerhard lui a raconté que son père avait combattu sur le front de l'Est pendant la guerre. Le récit a plu à Vladimir qui soutient que les Russes étaient les premiers face aux attaques nazies, oubliant volontairement le rôle précurseur des Ukrainiens et des Biélorusses. Leur intimité s'est concrétisée quand Gerhard Schröder a quitté le pouvoir : sa dernière action à la tête du gouvernement allemand fut d'approuver la construction du gazoduc Nord Stream reliant la Russie à l'Allemagne, en récompense de quoi le président russe l'a nommé président du géant pétrolier Rosneft, contrôlé à moitié par l'État russe et dirigé par un proche de Vladimir. Il dirige le comité d'actionnaires de la société qui exploite le gazoduc Nord Stream, lequel distribue le gaz russe à l'Allemagne via la mer Baltique, et qui est sous contrôle du géant gazier russe Gazprom. Il y a déjà sur place des représentants du monde des affaires et des people, comme le chanteur du groupe Scorpions Klaus Meine, l'actrice populaire Veronica Ferres ou encore Martin Kind, le président du Hanovre 96, le club de foot de la ville où Schröder a jadis exercé comme avocat. Parmi les politiques, la présence du ministre turc des Affaires étrangères, Mevlut Cavusolglu, soulève quelques sourcils, vu les tensions entre l'Allemagne et la Turquie. Mais Gerhard Schröder, depuis son départ de la chancellerie, se préoccupe plus de ses propres affaires que de la politique étrangère allemande. Il a également maintenu une bonne relation avec le président turc Recep Tayyip Erdogan, même quand il lui arrive d'être en délicatesse avec Angela Merkel. Vladimir Poutine va-t-il donc surgir ? Après tout, le président russe a bien fait le coup un mois et demi plus tôt, de se rendre au mariage de la ministre autrichienne des Affaires étrangères pour danser une valse avec elle. Tout est possible. Et Angela Merkel ? Cette petite dame de l'Est d'apparence insipide, qu'il a grossièrement ignorée avant de devoir admettre en 2005, ivre de rage et non sans une invraisemblable mauvaise foi, qu'elle lui avait damé le pion et qu'elle lui prendrait sa place à la chancellerie. Viendra-t-elle ?

En attendant, on compte sur les doigts d'une main les anciens camarades sociaux-démocrates du marié de soixante-treize ans. Au moins le plus éminent d'entre eux est-il présent : le Président de la République fédérale d'Allemagne, ex-vice-chancelier et ex-ministre des Affaires étrangères Frank-Walter Steinmeier. Le contraire aurait été étonnant, tant les deux hommes ont cheminé ensemble : depuis 1991 à la chancellerie régionale de Basse-Saxe, où Gerhard Schröder était le ministre-président, et pendant toute la durée du mandat de ce dernier à la chancellerie fédérale, dont Frank-Walter était le directeur. C'est lui qui a contribué à concevoir et à mettre en œuvre les réformes libérales – et en particulier la plus connue, intitulée «Hartz 4» du nom de son concepteur, Peter Hartz – qui ont flexibilisé le marché du travail et amoindri la protection sociale. Ces fameuses réformes qui ont relancé spectaculairement l'économie allemande et dont Angela Merkel a largement profité, mais qui ont aussi creusé les inégalités et marqué le début du déclin du Parti social-démocrate, provoquant l'indignation de la branche la plus à gauche du parti, jusqu'à la scission du SPD et la formation du parti dissident d'extrême gauche, Die Linke. Tiens, justement, Peter Hartz est là aussi, parmi les invités de l'hôtel Adlon. «Peter Hartz 4», pour le «mariage 5» d'un Monsieur Audi aux cinq anneaux.

Les invités peuvent toujours attendre : Vladimir Poutine ne viendra pas. Gerhard Schröder avait fait le déplacement à Moscou, le 7 mai, pour la cérémonie d'investiture de son ami à l'aube de son quatrième mandat à la présidence de l'État russe. Mais l'ex-chancelier n'a pas osé le convier à son mariage, selon le magazine allemand *Stern*, de peur que cela ne fasse trop de «tapages». Angela Merkel ne viendra pas non plus : elle n'a pas reçu d'invitation. Leurs relations sont pourtant redevenues cordiales depuis cette soirée électorale de 2005 où il avait juré sans lui adresser un regard qu'«elle» ne serait «jamais chancelière». Sa revanche largement obtenue (quatre mandats!) et l'obligation de travailler en bonne entente sur le dossier Nord Stream ont eu raison des mauvais souvenirs. Mais de là à venir danser avec lui...

Le mariage de Gerhard Schröder a une petite musique d'enterrement. En partant se reconvertir dans les hydrocarbures poutiniens, l'ancien chancelier a donné un coup de grâce à la social-démocratie. Au SPD, il avait pourtant été un modèle, avec un parcours admirable : fils d'une femme de ménage et d'un soldat mort au front six mois après sa naissance, qui a suivi des cours du soir pour sortir de l'apprentissage et est brillamment devenu avocat avant de se lancer en politique, de conquérir la Basse-Saxe, puis de devenir le premier chancelier social-démocrate, après seize ans de règne du conservateur Helmut Kohl. Au pouvoir de 1998 à 2005, ce protestant du Nord, né après la guerre, a enfourché la Troisième Voie de Bill Clinton et Tony Blair, libéralisé et modernisé l'Allemagne avec son sourire de séducteur, ses cigares et ses costumes italiens. Au SPD, il a suscité l'incompréhension faute de «En même temps», comme Emmanuel Macron vingt ans plus tard, en libéralisant l'économie pour le patronat, sans imposer en même temps le salaire minimum, et le parti a récemment décidé de se débarrasser de ces réformes Hartz IV qui empoisonnent son identité. En Allemagne, il a choqué en quittant la politique après son échec aux élections fédérales de

2005 face à Angela Merkel, pour intégrer une société russe dont il avait lui-même, en tant que chancelier, négocié le contrat avec l'Allemagne. En Europe, il reste celui qui s'est jeté par appât du gain dans les bras de Vladimir Poutine, le Président qui mène la guerre à l'Union européenne. Angela Merkel, sa successeure à la chancellerie, n'avait pas apprécié et l'avait fait savoir dans le quotidien populaire *Bild*: «Je trouve que ce que fait M. Schröder n'est pas bien, chez Rosneft du moins.» Même Martin Schulz, l'un de ses camarades et successeurs à la tête du Parti social-démocrate (SPD), avait désapprouvé: «Pour moi, c'est clair: après avoir été chancelier, je ne travaillerais pas dans le secteur privé.» L'un et l'autre ont dit tout haut ce que les dirigeants européens ne se gênaient pas de commenter entre eux. Après lui, Angela Merkel a continué le travail de sape du Parti social-démocrate en le cannibalisant avec une habileté diabolique dans les grandes coalitions successives. Elle a mené en son nom les réformes proposées par le SPD qu'il n'avait pas osé faire, comme l'instauration du salaire minimum. Le SPD, le plus ancien et le plus grand parti social-démocrate d'Europe, a perdu sa personnalité d'année en année, pas assez à gauche pour les classes populaires qui se sont enfuies vers Die Linke, pas assez écolo pour les écologistes qui se sont enfuis vers les Verts, englouti par le centrisme large d'Angela Merkel, bref, un peu de tout, pas assez de rien.

À l'image du SPD allemand qui l'incarne plus que tout autre, la social-démocratie qui dominait l'Europe se trouve maintenant au bout de son imagination et de son histoire. Il y a trente ans, elle avait une identité forte. Depuis, elle s'est fait piquer ses idées par tout le monde. Les sujets qui la préoccupaient au XXe siècle sont devenus des évidences même pour ses opposants de droite, chacun inclinant plus ou moins le curseur libéral : minimum d'État providence, de redistribution des richesses, de santé publique, de justice sociale, d'aide aux plus démunis, d'écologie. La mondialisation et les migrations internationales ont bousculé l'économie de marché et rebattu les cartes, chacun tentant de s'adapter. La gauche a perdu ses marques identitaires en introduisant du pragmatisme, la droite s'est mise à faire dans la compassion et le protectionnisme. L'une et l'autre se sont brouillées pour le bonheur des extrêmes et elles se retrouvent l'une et l'autre en panne d'objectifs pour le XXIe siècle. Que reste-t-il de la grande vague rose qui, à la fin des années 1990, avait propulsé au pouvoir les dirigeants de gauche et de centre gauche dans onze pays de l'Europe des quinze, du Britannique Tony Blair au Français Lionel Jospin, de l'Allemand Gerhard Schröder au Suédois Göran Persson ? Aujourd'hui, le retour de bâton est tout aussi collectif. Au-delà de la social-démocratie, cette économie sociale de marché qui, du centre gauche au centre droit, est une marque de fabrique de l'Union européenne, n'a plus d'inspiration. Les politiques centristes, que ce soit la gauche sociale-démocrate ou la droite démocrate chrétienne, s'assèchent, s'effritent, se retrouvent prises de court par les partis les plus exactement contraires à leurs valeurs – nationalistes, sociaux-nationalistes, antisystème, autoritaristes, populistes, xénophobes, attisés par le ressentiment, les peurs, le rejet des différences, la mise en cause de l'État de droit. Dany Cohn-Bendit l'avait résumé en une formule, dans un entretien qu'il m'avait donné pour le quotidien britannique *The New European* : «Le n'importe quoi ne fait plus peur parce que le sensé ne fait plus rêver.»

Ils n'ont pas su répondre aux effets de la mondialisation et de ses énormes bouleversements, à l'émergence de la Chine, de l'Inde et des pays du Sud, à la révolution technologique, à l'ouverture des frontières, à la délocalisation, aux migrations, à la brutalité du néolibéralisme. Ils n'ont pas su moderniser l'État providence, ils n'ont pas su éviter la concentration des grandes agglomérations, ni le décrochage des petites villes et des campagnes, ni la paupérisation de ceux qui ne s'y adaptaient pas. Ils n'ont pas su accompagner, en les formant, les nouvelles victimes du nouveau monde mondialisé. Ils ont perdu leur socle électoral, qui s'est senti abandonné. La mondialisation n'est pas heureuse pour tout le monde. Ils ont répondu comme ils pouvaient à la crise financière mondiale sans réussir à freiner le creusement des inégalités. Ils n'ont pas su tenir leurs promesses dans des États que n'alimente plus la prospérité des Trente Glorieuses. Ils n'ont pas enrayé l'inversion du rapport de forces entre capital et salariés – la redistribution de la richesse en faveur des revenus du capital et au détriment de la part des salaires dans le PIB. Ils ont sous-estimé, par mauvaise conscience idéologique, les effets de l'immigration dont les classes populaires se sont senties les victimes incomprises. Ils ont vanté comme un projet protecteur une Europe qui n'est pas perçue comme telle. Les revenus stagnent depuis vingt ans. Beaucoup d'Européens, Français, Italiens, Allemands, Grecs, Britanniques, Irlandais ou Lettons, doutent que leurs enfants auront une vie meilleure que la leur.

La vague rose est déjà très loin. La noire rouge brune déferle et l'indignation n'est plus de mise, comme lorsque les Européens criaient au scandale, au début de l'année 2000, parce que le chancelier autrichien chrétien-démocrate Wolfgang Schüssel avait formé un gouvernement de coalition avec le parti xénophobe d'extrême droite de Jörg Haider. Les dirigeants de l'Union européenne ont essayé de marquer le coup en boycottant l'Autriche quelques mois. Aujourd'hui, l'Autriche a recommencé, l'Italie s'y est mise, mais l'idée d'une sanction ne vient plus à l'esprit. À quoi bon user de grands mots quand le cas particulier autrichien se généralise ?

La mode est de brandir l'épouvantail des années 1930. On n'en est pas là. C'est même très exactement l'inverse : loin de toute volonté impérialiste, les États n'en sont plus à revendiquer les territoires des autres, ils aspirent au contraire à vivre en retrait des autres, à « *take back control*», comme disent les Britanniques, dans l'égoïsme du chacun-pour-soi. À la différence des années 1930, la violence n'est pas généralisée dans les rues, l'antisémitisme n'est pas banalisé comme il l'était dans l'opinion et le monde politique, les majorités populistes ont toujours contre elles une bonne moitié de la population. Une autre vague, de couleur verte, émerge en parallèle à la noire ici et là, en Allemagne, aux Pays-Bas : les partis écologistes deviennent le nouveau refuge des sociaux-démocrates et des démocrates-chrétiens en désarroi politique, ralliés par l'urgence de sauver la planète. Pour autant, les ingrédients des années 1930 sont bel et bien là, à l'état de germe. Dans l'Union européenne, les grands partis traditionnels disparaissent ou se divisent au profit d'une multitude de petits qui balkanisent les parlements. En Europe, le Portugal résiste comme l'un des derniers barrages à la mélancolie, lui qui, malgré la crise, n'a jamais vu émerger aucun parti populiste ni même le thème des migrants pointer dans les débats politiques. Du côté des grandes puissances de l'Europe, Angela Merkel et Emmanuel Macron, seuls au centre, se cramponnent sur le radeau pour résister à la tempête.

Il y a trente ans, ce n'était pas mieux que maintenant. Il ne faut pas rêver. C'était différent.

Il y a trente ans, l'Union européenne n'avait pas encore accompli la moitié de l'extraordinaire construction qu'elle a mise en place aujourd'hui : la plus grande zone de libre-échange du monde, régulée par des normes environnementales, alimentaires, sanitaires, techniques, chimiques, sécuritaires et sociales les plus avancées du monde. Le marché économiquement le plus dynamique, conjugué à un modèle d'État de droit, de protections sociales, de respect des libertés publiques et des droits humains. Un système multilatéral exemplaire et unique, avec ses imperfections et ses injustices inhérentes. Certes, le libéralisme dominant est inégalitaire. Les élites ne sont pas exemplaires. Les services publics sont déficients, l'emploi trop rare, les salaires minimums insuffisants, l'immigration massive fait peur, la mondialisation est injuste, qui crée des richesses et des laissés-pour-compte, qui sort des pays de la misère et plonge les autres dans l'instabilité. Le monde est inégalitaire et l'Europe est imparfaite. Mais qui dit mieux sur la planète ? Les libéraux se plaignent d'un excès de règles, les étatistes se plaignent d'une Europe réduite à son marché, les réactionnaires se plaignent de trop de libéralités politiques et d'humanisme bien-pensant. L'Europe est un paradis peuplé de gens qui se croient en enfer, pour paraphraser l'écrivain alpiniste et voyageur Sylvain Tesson, qui s'est fait injurier pour avoir prononcé cette phrase au sujet de la France. Lors d'un voyage au Luxembourg, j'ai entendu le Premier ministre, Xavier Bettel, rappeler cette évidence : « J'ai un grand-père russe orthodoxe, un grand-père juif polonais, des parents catholiques, un mari belge. Je suis libéral, homosexuel, ayant du sang juif… sans l'Union européenne et la paix qu'elle garantit, ce serait difficile. On oublie ça. » Dans chaque pays, une moitié de citoyens en reste convaincue. Le spectacle grotesque des Britanniques qui ont voté le Brexit sans être capables de s'entendre sur ce qu'il voulait dire a ceci de bon qu'il n'a pas eu d'effet domino, mais bien au contraire un effet repoussoir : même les dirigeants européens les plus nationalistes ne veulent plus quitter l'Union européenne. Ils ont compris. Le Brexit a coupé la chique même à Marine Le Pen.

Il y a trente ans, l'Union européenne n'était pas aussi indispensable qu'elle l'est aujourd'hui. Le réchauffement climatique, le terrorisme islamite, la pression migratoire, les multinationales du numérique n'avaient pas atteint ce niveau d'urgence et de danger, face auquel des États repliés sur eux-mêmes ne peuvent opposer que leur impuissance. Il y a trente ans, la paix semblait acquise, la guerre froide était finie, celle que nous connaissons aujourd'hui n'avait pas encore commencé. Au moment où des populistes vendent le fantasme de petits pays souverains qui soi-disant « reprendraient le contrôle d'eux-mêmes », au moment où les Britanniques bernés par ce genre de chimères s'embourbent dans un Brexit qui semble n'avoir jamais de fin, au moment où les États-Unis mettent en doute la solidarité transatlantique et l'existence de l'Otan pour la première fois depuis la guerre, jamais l'organisation d'une défense et d'une politique extérieure commune de l'Europe ne serait si impérieuse.

Il y a trente ans, la Chine n'existait pour nous que sur les étiquettes des vêtements et des gadgets *made in China.* Personne n'imaginait que trente ans plus tard, elle deviendrait l'un des acteurs les plus importants de l'économie mondiale, prendrait possession d'infrastructures et de milliers d'entreprises européennes de la Grèce aux pays Baltes, ou qu'une classe moyenne de 400 millions de Chinois – soit, à 100 millions près, la population de l'Union européenne – aurait un niveau de vie moyen équivalent au nôtre. Il y a trente ans, l'Europe n'était pas en voie d'effacement comme elle l'est aujourd'hui sur la scène mondiale, en l'absence de solidarité transatlantique, alors que la Russie ne nous veut pas du bien, et face à la réorganisation de grandes puissances – Chine, États-Unis, Inde – qui se distribuent entre elles et sans nous les cartes de la planète, ne croient pas au multilatéralisme, ne fonctionnent qu'au rapport de forces, ne partagent pas nos valeurs démocratiques.

Il y a trente ans, la mondialisation totale n'existait pas, parce qu'Internet n'existait pas. Ni les smartphones ni les réseaux sociaux. Il y a trente ans, le monde était moins complexe et les marchands d'idées simplistes ne pouvaient pas prospérer aussi facilement dans tous les coins de la planète. Les élites sont devenues des gens aux mots compliqués, confondus dans la complexité du monde. En cours de route, elles ne savent plus parler au peuple, qui se passe d'elles en prenant la parole et le pouvoir sur les réseaux. Les grands partis traditionnels, sociaux-démocrates et démocrates-chrétiens, aussi. Ils ont oublié le peuple, ses inquiétudes, ses souffrances, son langage.

Il y a trente ans, il n'y avait pas cet élément commun aux populismes partout dans le monde : le ressentiment, la détestation des élites, des politiques, des médias, de l'Europe. Selon une enquête vertigineuse du Cevipof, la politique inspire aux Français non seulement de la méfiance, mais du « dégoût ». Pareil pour les institutions non gouvernementales comme l'Église catholique, ou les grandes entreprises privées et publiques. Tout puissant est jugé négativement. Tout non-puissant est jugé positivement. Le pauvre dit la vérité, le riche ment. Toujours. Les élus sont des élites. Donc ils mentent. CQFD.

Il y a trente ans, on n'imaginait pas que la démocratie pourrait être contestée. L'Est nous avait rejoints au nom de la liberté. C'était l'acquis évident à partir duquel on pouvait avancer ensemble. Tellement évident. Mais non. Le repli nationaliste se réveille et les anciens pays de l'Est s'avèrent être les plus fervents adeptes du retour à l'autocratie, eux qui en ont le plus souffert. Et pas seulement eux. Des sondages réalisés ces dernières années dans différents pays occidentaux dont la France indiquent qu'une part grandissante de la population n'est pas attachée au régime démocratique. Les jeunes, en particulier, considèrent avec sympathie l'émergence de régimes autoritaires. Plus de la moitié des citoyens vivant dans des démocraties estiment que leur voix est rarement ou jamais entendue. Cette remise en question de la démocratie libérale et représentative est encore plus élevée dans les pays les plus démocratiques que dans les pays non démocratiques. C'est le cas en Pologne, en Autriche, au Portugal, en Norvège, en Allemagne, aux Pays-Bas, en Belgique, en France. L'un des premiers porte-parole des Gilets jaunes, de ceux qu'avait voulu rencontrer le vice-Premier ministre italien Luigi Di Maio pour marquer la solidarité du mouvement 5 Étoiles avec les manifestants français, a exprimé son désir d'appeler au pouvoir un militaire, le général de Villiers, pour que la France soit enfin dirigée d'une main de fer. Il y a trente ans, les gens avaient encore la mémoire de la guerre et de la guerre froide. Les jeunes générations n'ont rien connu d'autre qu'un système libéral à bout de souffle, inégalitaire et sans idéal. La liberté n'est plus une valeur prioritaire. Quand le mur de Berlin est tombé il y a trente ans, on ne soupçonnait pas que de telles foules en viendraient à ne plus aimer les institutions que nous avions construites, à ne plus aimer la raison éclairée issue de l'esprit des Lumières, à ne plus aimer nos libertés.

On en est là.

J'avais envie de terminer par la chanson de Barbara. « Ô faites que jamais ne revienne, Le temps du sang et de la haine, Car il y a des gens que j'aime, À Göttingen, à Göttingen. » Et puis, pile à ce moment-là, j'apprends la mort de Mark Hollis, le chanteur du groupe au nom bégayant qu'on prononçait Toc Toc et qui s'appelait

Talk Talk. Mince alors, ça me fait un coup. *Such A Shame*, la chanson la plus sublime de nos années 1980. Ça commençait par des sortes de barrissements d'éléphant pour enchaîner sur une mélancolie synthétique qui faisait planer. Elle était sortie pendant les années Thatcher, au temps de la dame de fer et des rideaux de fer, quand l'envie de liberté se préparait à exploser et à changer le monde. Je me passe *Such A Shame* en boucle et aussi le clip qui l'accompagnait, la bouille indignée de Mark Hollis, ses cheveux plaqués sous son bonnet, ses oreilles décollées, s'écriant : « *It's a shame!* » C'est une honte ! L'instant d'après, il change de visage, l'air espiègle, malicieux, franchement réjoui. « Quelle honte de croire que l'on peut fuir ! Quelle honte, cette ardeur au changement ! » s'offusque-t-il en exprimant par son sourire l'exact contraire : il n'y a pas de honte. Il faut bien contester l'ordre qui s'installe, quand il est contraire à la tolérance et à la raison. Il faut bien les changer ardemment, les choses – quand elles deviennent trop rouges, trop brunes, trop noires.

Ce livre existe grâce aux personnes qui y sont dépeintes et qui, en sympathie ou en adversité avec moi, ont bien voulu me rencontrer. Je les en remercie.

Merci aussi à ceux qui m'ont soutenue ou aidée en coulisse, et tout particulièrement :

Laure Adler, qui m'a fait le cadeau de me demander ce livre,

Alain Frachon, le plus grand des gentlemen,

Laure Vermeersch, Joanna Lasserre et Carlo Tarsia in Curia, pour nos virées à Athènes, Varsovie, Gdansk et Naples, ainsi que Jean-Dominique Giuliani, Marijn Kruk, Gunnar Lund et Marc Lazar pour leurs conseils,

Mes éditeurs, Alice d'Andigné pour son empathie et Manuel Carcassonne pour nos trente ans,

Nathalie Baudon et Clément Beaune, à l'Élysée,

Et merci au journal *Le Monde* de m'avoir envoyée d'un bout à l'autre du monde pendant presque… trente ans.

TABLE

*Cet ouvrage a été composé
par Maury à Malesherbes
et achevé d'imprimer en France
par CPI BUSSIÈRE (18200 Saint-Amand-Montrond)
pour le compte des Éditions Stock
21, rue du Montparnasse, 75006 Paris
en avril 2019*

Imprimé en France

Dépôt légal : mai 2019
N° d'édition : 01 – N° d'impression : 2043565
51-07-2599/3